D1359073

Quand je pense
que Beethoven est mort
alors que tant de crétins vivent…

suivi de

Kiki van Beethoven

Eric-Emmanuel Schmitt

Quand je pense que Beethoven est mort alors que tant de crétins vivent…

suivi de

Kiki van Beethoven

Albin Michel

Victor Hugo disait que « la musique, c'est du bruit qui pense ». J'aurais envie d'ajouter qu'elle est aussi « du bruit qui fait penser » tant elle nous console, apaise, enthousiasme ou régénère. Les compositeurs nous communiquent leur folie, leurs désirs, leurs conceptions du monde, et, quand ils détiennent une philosophie cohérente, ils nous délivrent leur sagesse. Si nous leur prêtons l'oreille, ils deviennent nos guides spirituels.

Quand je pense que Beethoven est mort alors que tant de crétins vivent appartient à une série de livres consacrés aux musiciens comme maîtres de vie. Le premier texte de ce cycle, « Le bruit qui pense », était *Ma vie avec Mozart.*

Suivront bientôt Bach et Schubert…

Quand je pense
que Beethoven est mort
alors que tant de crétins vivent…

Entre Beethoven et moi, ce fut une histoire brève mais forte.

Il apparut dans ma vie lorsque j'avais quinze ans puis la quitta quand j'atteignais les vingt. Pendant cette période, il s'installa, poussa les meubles, cala ses disques à côté de mon électrophone, empila ses partitions sur le piano droit, enseigna à mes doigts ses pages les plus passionnées, m'arracha des larmes avec ses symphonies et devint le maître de mes émotions, m'en insufflant de nouvelles, bouleversantes. Afin de marquer son territoire dans ma chambre d'adolescent, il introduisit, par l'entremise d'une tante qui revenait d'Allemagne, son buste en résine peinte, sculpture tourmentée qu'il me conseilla de placer sur ma table de nuit, sous le portrait de Mozart épinglé au mur. Ce fut la seule fois où je lui résistai ; par je ne sais quelle prudence – sans doute la crainte de ne pas m'endormir auprès de ce front où saillaient les tumultes du génie –, je laissai trôner son effigie dans l'ombre de la bibliothèque paternelle, à plusieurs murs de distance.

Intensément présent pendant cinq années, il s'éclipsa les décennies suivantes. Son départ coïncida avec la fin de ma longue adolescence. Il fuit quand je désertai la maison familiale. Au loin, le Beethoven ! Absent, anéanti ! Je n'y pensais plus, je ne l'interprétais plus, je ne l'écoutais plus.

Certes, il se rappelait à moi quand on exécutait ses œuvres au hasard des concerts, à la radio ou à la télévision ; je bâillais, fatigué d'anticiper chaque note d'une symphonie, tous les détails de son orchestration. L'exaltation que j'avais ressentie naguère, je ne la retrouvais pas ; même sur la pente d'un crescendo, mon cœur n'accélérait plus, mes yeux demeuraient secs. L'habitude de Beethoven, mes écoutes successives, notre familiarité avaient tué la réceptivité en moi, mon émotion pubère étant morte d'overdose. En art comme en flirts, il y a des êtres dont la fréquentation constitue l'antidote à l'amour qu'ils inspirent.

La vie continua. Beethoven se réduisit à un nom parmi d'autres, une référence du grand bazar culturel dans lequel nous circulons. Lorsqu'on me demandait si j'aimais Beethoven, je me contentais d'un « pas tellement », négligeant notre ancienne liaison.

On peut compter sur le sort pour refuser nos amnésies et nous jouer des tours. C'est à Copenhague qu'il me régla mon compte…

Venu promouvoir une pièce au pays d'Andersen, je restai pour découvrir davantage cette ville pétillante d'intelligence et connaître mieux ces

Danois dont l'humour me séduisait. Ainsi allai-je une après-midi au Ny Carlsberg Glyptotek, musée où, en sus des collections ordinaires, s'offrait une exposition temporaire sur « Les masques depuis l'Antiquité grecque jusqu'à Picasso ».

Une salle entière était consacrée à Beethoven, lequel avait tant épaté la civilisation occidentale que, à côté d'un commerce populaire alignant effigies et bustes du musicien à poser sur le piano droit du salon, d'éminents sculpteurs, tels Antoine Bourdelle, Franz von Stuck, Auguste Rodin, Eugène Guillaume, avaient travaillé, exalté ses traits pour en tirer des œuvres stupéfiantes.

Ébranlé, je frissonnais quelques secondes, incapable de bouger d'un pas. En face des images nombreuses de Ludwig van, me revenaient mes émois, mes enthousiasmes, mes fièvres, ces heures d'intimité durant lesquelles il soulevait tant mon âme que je me sentais la force d'affronter le monde, sinon de le refonder, capable de pulvériser la bêtise et la médiocrité des hommes. Notre histoire resurgissait, avec sa vigueur, sa violence, sa richesse exceptionnelle.

Un visiteur qui aurait pénétré dans la galerie à cet instant n'aurait vu qu'un monsieur en costume bleu arrêté devant une vitrine ; il n'aurait pas saisi la scène réelle qui se jouait : je comparaissais au tribunal de mon passé, l'adolescent que j'avais été jugeait l'homme mûr.

– Qu'as-tu fait ? Oui, qu'as-tu fait de ta jeunesse ?

Quatre heures plus tard, pantelant, sonné, ému, je prenais un avion pour rentrer chez moi. Là, refugié dans l'étroitesse des fauteuils de ligne, boudant le plateau-repas qu'on me proposait, je commençai à écrire sur un carnet de voyage une histoire, *Kiki van Beethoven*, que je destinais au théâtre, un texte dont le titre, le ton, le déroulement et les personnages m'étaient venus d'un bloc lorsque l'accès à mes vertes années s'était déblayé au musée. En quatre semaines, je l'achevai, à peine conscient que ma vie s'y reflétait, tant en moi la méditation prend naturellement la forme d'un récit. Logique des rêves qui caractérise les auteurs de fictions, ces dormeurs professionnels.

La pièce terminée, je me remis à écouter Beethoven.

Tout avait changé. Je vibrais de nouveau. L'enchanteur de ma jeunesse me parlait. J'étais reconquis.

En revanche, je constatais que mes contemporains ne le fréquentaient pas. Ou peu. De loin... On interprète ses œuvres moins par goût que par devoir ou intérêt, tant elles sont célèbres ; on sourit de la *Troisième Symphonie* – l'*Héroïque* –, on éprouve une indulgence condescendante pour la *Neuvième Symphonie* et l'on rit de son opéra, *Fidelio*. Les virtuoses le pratiquent comme un passage obligé mais ne bâtissent plus leur carrière sur lui. Il reste le grand homme des générations antérieures, le génie selon nos aïeux. Nous n'entendons plus ce qu'il énonce. Quelque chose de Beethoven est devenu inaudible. Nous nous retrouvons sourds devant l'insigne sourd.

Que s'est-il passé ?

Est-ce lui qui a changé ? Ou nous ?

Avons-nous intégré ce qu'il nous soufflait au point de ne plus l'apercevoir ? Beethoven se serait dégradé en poncif, en lieu commun, un sucre dissous dans l'eau idéologique où nous baignons. Tombé au combat, il paierait son succès de son effacement.

Ou bien délivre-t-il un message que nous ne percevons plus ? Beethoven détient-il de la dynamite, rebelle contre les préjugés dominants, empêcheur de penser en rond ? Alors ce ne serait pas lui qui serait mort, mais nous...

J'écris ces lignes pour mener l'enquête. Qui a disparu, Beethoven ou nous ?

Et qui est l'assassin ?

*

Mme Vo Than Loc avait été cantatrice puis, la quarantaine franchie, remarquant que sa voix se durcissait, que la ménopause allait l'empêcher d'incarner des Carmen, des Dalila crédibles, elle avait abandonné ses emplois de femme fatale, renoncé à tourmenter les ténors sur les scènes de province ou à périr de passion à l'acte IV, et, rangeant ses fards, jetant ses filtres d'amour, remisant au grenier ses robes à décolleté, s'était établie professeur de piano à Lyon.

Que son nom ne vous mette pas sur une fausse piste ! Cette sonorité exotique ne recouvrait pas un physique asiatique, ni un minois aux yeux bridés. Loin de là... Si le cheveu restait d'un noir aile de corbeau en toute saison, Mme Vo Than Loc, le corps et les traits forts, avait plutôt l'air d'une solide boulangère parisienne. Son patronyme venait de sa fantaisie sentimentale qui l'avait poussée à épouser un chétif monsieur jaune à la voix plus haute que la sienne, aussi étroit qu'elle était large, un Vietnamien enseignant le vietnamien, galant, souriant, affectueux, savant puisqu'il rédigea un des rares dictionnaires français-vietnamien de notre histoire.

Deux fois par semaine, j'allais prendre un cours chez Mme Vo Than Loc, laquelle avait étudié le piano en même temps que le chant au Conservatoire de Paris. Dire qu'elle me terrorisait ne donne qu'une mince idée de la vérité : son timbre grave, péremptoire, sa capacité inépuisable à m'indiquer que je tapais la touche d'à côté ou que je n'avais pas assez travaillé la transformèrent, les premières années, en dragon malveillant. Puis je commençai à me débrouiller au clavier et nos rapports s'améliorèrent.

Elle devina que, dans le piano, ce n'était pas le

piano que j'aimais, mais la musique. Au lieu de rabâcher des gammes, des exercices ou le morceau du moment, j'occupais les heures à déchiffrer des œuvres car, à mes yeux, l'instrument ne m'offrait pas une fin mais un moyen, une paire de lunettes me permettant de lire la musique au bout de mes doigts. Intelligemment, elle le comprit et l'accepta.

Peut-être cela l'arrangea-t-elle dans la mesure où, fine musicienne, elle ne possédait cependant pas la technique pianistique du siècle...

Assez rapidement, l'ancienne Carmen admit que j'apporte des partitions afin que nous les parcourions ensemble à quatre mains.

Un jour, je déposai un cahier, les *Ouvertures* de Beethoven, sur le pupitre. Nous nous sommes lancés à l'assaut de ces pages, moi aux graves, elle aux aigus.

Nos doigts malaxaient les chefs-d'œuvre. Ils se succédaient, ouvertures de *Léonore*, ouverture de *Fidelio*, ouverture d'*Egmont*.

Enfin, vint celle de *Coriolan*.

Ouverture de Coriolan

(1)

Des chocs, des silences, la mélodie qui gronde aux basses, qui hésite, qui se lance, qui s'étoffe, qui module. De source, le filet thématique devient fleuve, notre piano s'enfle aux dimensions d'un orchestre entier. Mon cœur bat à tout rompre. J'ai les oreilles rouges et gonflées d'émotion, je transpire, je respire avec peine, je m'enfonce dans l'harmonie, je fonds en musique, je suis heureux.

Derniers accords ! Nous laissons prospérer le silence. Nous tentons de reprendre notre souffle.

– Quand je pense que Beethoven est mort alors que tant de crétins vivent !

Mme Vo Than Loc avait lancé cette phrase, farouche.

Elle me consulta en essuyant la sueur sur son front.

– Vous n'êtes pas de mon avis ?

Je la fixai sans répondre. Elle insista.

– Il y a des gens dont la vie est vaine. Ils ne servent à rien.

– Ils font des enfants ?

– Oui, ils font des enfants ! Des enfants comme eux, des enfants qui ne servent à rien ! Ah ça, ils se reproduisent... Mais vous n'allez pas vous réjouir que des inutiles fabriquent de nouveaux inutiles, non ? Si c'est cela, le sens de la vie, très peu pour moi, je ne signe pas, je démissionne.

À cet instant, je me souvins qu'elle n'avait pas de famille. Elle poursuivit :

– Voilà ! Non seulement ces idiots-là existent, mais ils persévèrent, heureux, avec une bonne oreille. Tandis que Beethoven, lui, est sourd et mort ! Ça ne vous choque pas ?

– Quand même, il avait presque soixante ans, Beethoven, quand il...

– Peu importe. Pour un génie, c'est toujours trop jeune.

Nous n'avons plus échangé un mot. Elle était

furieuse. Je crois qu'elle m'en voulait de ne pas être Beethoven, ni génial en quoi que ce soit. Tout juste si, sur le seuil, elle aboya – « Bonsoir. »

Au fond de moi, là où Beethoven m'avait atteint – il m'avait désigné ce qu'il y a de noble en nous –, je tombai secrètement d'accord avec Mme Vo Than Loc. En rentrant à la maison, je jetai ce regard-là sur mes parents, ma sœur : étaient-ils utiles ?

Et moi, si frêle à côté du géant ?

Je sentis qu'il y avait danger. Danger à copiner avec Beethoven.

Et comme je raffolais du danger – plus que de la vérité –, je me mis à le fréquenter.

*

Soyons clairs : ma cohabitation avec Beethoven ne se révéla pas facile car le bonhomme possède un raboteux caractère, des convictions définitives, parle en criant, n'entend pas.

② Cinquième Symphonie, premier mouvement

Au début, je me suis contenté de lui prêter oreille, de l'approuver, de lui obéir. Ce fut notre meilleure période.

Pendant ces années-là, il m'apporta beaucoup, et surtout un point essentiel : il m'enseigna la force de la pensée.

Lorsque j'écoutais la *Cinquième Symphonie* par exemple, je découvrais ce qu'une intelligence peut extraire d'un thème très simple – le fameux pom pom pom pôm. Un thème ? Un motif plutôt, car c'est un embryon de thème, un thème qui ne parvient pas à s'élever jusqu'à la mélodie, une banalité rythmique, une phrase que n'auraient jamais envisagée Bach ou Mozart. Or Beethoven s'en satisfait, s'en empare, le tend, le détend, l'étend, le répète, le varie, le malaxe de cent manières différentes. De cette pauvre apostrophe – une brute cogne à la porte –, il tire un mouvement symphonique riche de drames, d'esclandres, d'attentes, de silences, de fracas. On l'observe en train d'agir, on voit son âme vive circuler entre les notes, charger les modulations de sentiments, gonfler l'orchestre de contrastes. Beethoven se dresse là, au milieu de sa musique, impérieux, volcanique, constamment présent.

Il nous offre le spectacle de l'esprit. Le spectacle de son esprit. Ouvrant la trappe, il nous emmène visiter l'antre de l'imagination musicale, nous permet un séjour dans l'atelier. Pom pom pom pôm ! On a l'impression que le thème ne serait rien, n'exprimerait goutte si Beethoven n'avait pas décidé d'en arracher de la musique, comme on transforme un bruit en son.

Bref, un artiste s'exhibe, démiurge, magnifique, ostentatoire.

Pas étonnant que les chefs s'enflamment pour Beethoven... Perchés sur leur estrade, domptant les forces sonores d'une courte baguette, affrontant les masses d'instruments qui peuvent se taire ou se déchaîner, sculptant la matière de l'orchestre, ils miment son créateur, ils l'imitent. Croyant diriger Beethoven, ils le dansent. Je me remémore le film d'Henri-Georges Clouzot, saisissant Herbert von Karajan en train de mater le Philharmonique de Berlin dans les symphonies de Beethoven : une mise en scène géniale du génie musicien. La pensée vole d'un pupitre à l'autre, embrase les violons, agite les violoncelles, s'épanouit mollement à la flûte, s'embourbe dans les cors puis tonitrue à travers les trompettes. Karajan devant son orchestre, c'est Vulcain devant sa forge, Beethoven devant sa page : un dieu païen.

Une œuvre de Beethoven comprend toujours un reportage sur Beethoven. Il s'affiche aux fourneaux, il dévoile la beauté du labeur. Ce qu'il faut apprécier, ce n'est pas tant le résultat du travail que le travail lui-même. Pom pom pom pôm. « Voici le germe, annonce Beethoven, admirez maintenant ce que j'en récolte. »

L'inspiration ne vient pas d'ailleurs : l'inspiration, c'est lui. Son énergie, son ingéniosité architecturale, la dynamique de son esprit nous fascinent.

Beethoven m'a fait croire en l'homme, en sa capacité de dominer la matière.

*

Puis notre relation se compliqua parce qu'il commença à multiplier les disputes.

Il estimait que je le trahissais.

En vérité, il était jaloux de Mozart. Ou plutôt jaloux de mon engouement pour Mozart. Ah, j'avoue que la vaisselle a volé entre nous...

Il n'avait pas tort : je vivais une passion parallèle avec Mozart et je risquais des comparaisons entre eux.

Beethoven me semblait spectaculaire mais Mozart... miraculeux.

Une mélodie de Mozart, c'est une évidence claire, qui ravit, qui envoûte, qui annule le recul critique. Aucune mélodie de Beethoven n'atteint jamais cette simplicité radieuse. Comme le soleil brille, ainsi qu'un ruisseau coule, *Les Noces de Figaro, Cosi fan tutte, La Flûte enchantée* déroulent des airs inouïs, mémorables, immortels, capables de séduire le vieillard ou l'enfant, le musicien savant autant que l'inculte, certains morceaux s'échappant parfois des enceintes élitistes de l'Opéra pour courir les rues en devenant des chansons populaires.

Lorsqu'on écoute du Mozart, on n'assiste pas à une besogne, on assiste à l'épiphanie de la grâce.

Inexplicable, la grâce. Ça descend, ça s'impose. C'est une aube. Une naissance.

Les mélodies, on a l'impression que Mozart ne les a pas conçues mais qu'il les a reçues. Ses manuscrits l'attestent, lesquels déploient un jet continu, aisé, leste, sans retouches. Quel contraste avec les papiers noircis de Beethoven qui accumule les carnets préparatoires, hésite, ébauche, barre, biffe, bifurque, range, rature, s'éloigne puis recommence ! Beethoven nous a légué autant de brouillons que de partitions ; Mozart ne nous a légué que ses partitions.

Mozart entend. Beethoven fabrique.

Chez les deux le métier est ferme, supérieur, rigoureux, virtuose. Chez les deux l'art triomphe.

Cependant si Mozart efface son geste, Beethoven le met en avant. Mozart nous propose le produit de l'esprit, Beethoven l'esprit qui produit.

Beethoven cherche. Mozart a trouvé.

Beethoven reste présent dans son œuvre. Mozart s'en absente.

Beethoven nous laisse avec sa musique. Mozart nous laisse avec la musique.

Dans la création, Beethoven se comporte en homme, Mozart en dieu. L'un parade, l'autre s'écarte. Homme immanent, dieu caché.

Pour cette raison, si l'on porte Mozart aux

nues, on se sent plus proche de Beethoven. L'un est divin, l'autre humain. Mozart, il nous déconcerte ; nous avons besoin de découvrir ses défauts – scatologie, fatuité, goût de la dépense, susceptibilité – afin qu'il nous impressionne moins ; cependant, si ces détails banalisent l'individu, ils rendent le compositeur encore plus mystérieux : d'où ce trublion tire-t-il ces musiques célestes ?

La grâce, c'est miraculeux mais injuste. À nos yeux, cela se révèle, autant qu'admirable, insupportable.

– Pourquoi lui ? se demande chacun.

Il n'y a pas de réponse.

Ou plutôt la grâce constitue la réponse.

*

Malgré nos querelles au sujet de Mozart, en dépit de son ombrageuse jalousie, Beethoven gardait ma préférence car il me guidait, me conduisait par la main, m'aidait à me fortifier. Pendant cet âge friable, l'adolescence, il m'apprenait l'héroïsme.

Qu'est-ce qu'un héros ? Celui qui n'abdique pas, qui ne s'abstient jamais, qui dépasse les obstacles pour avancer. Comme armes mentales, il utilise le courage, l'opiniâtreté, l'optimisme.

Beethoven est un héros. Il a résisté à toutes les attaques. Le hasard le jette dans un environnement médiocre, entre un père ivrogne et une mère domestique ? Il s'élève quand même. Cupide, ténor raté, son père le contraint à apprendre le clavecin à coups de gifles, le violon à coups de pied, il affame son fils, l'insulte, l'humilie ? Beethoven adore pourtant la musique. Ses parents lui accordent peu d'affection, ne sachant pas très bien en quoi cela consiste ? Qu'importe, Beethoven aimera l'amour. À vingt-six ans, la surdité le frappe, l'endolorit, l'isole chaque jour davantage ? À part ses trois premiers opus, il écrira son œuvre entière affligé de ce handicap. Privé par son mal des liens sociaux, amicaux, conjugaux, condamné à la solitude, il ne connaît guère de plaisirs ? L'infirme écrira néanmoins un *Hymne à la joie* au crépuscule de sa vie.

– Quand je pense que Beethoven est mort alors que tant de crétins vivent ! avait crié Mme Vo Than Loc.

Elle avait raison : Beethoven a plus de mérite à être Beethoven que M. et Mme Fromage – bonne santé, bonne fortune, bonne famille – à être M. et Mme Fromage. Partie inégale : lui vise haut et ne rencontre que des embarras, le couple Fromage n'ambitionne rien, gâté par les circonstances.

Avant de devenir notre héros, Beethoven fut le héros de sa propre existence. Comme devise, il aurait pu brandir « Quand même ! » car, à l'affût de ses desseins, s'inventant, il surmonte les écueils.

Beethoven ne baissa jamais les bras. Puisque la destinée lui défendait d'entendre la musique, il la créa sous son crâne de sourd. Comme le sort lui mégotait la joie, il la fabriqua en lui, l'exprima dans sa *Neuvième Symphonie* et, grâce à son talent, la rendit contagieuse. Générosité de celui auquel on ne donna qu'une misère. Inépuisable...

Seule la mort en vint à bout ! Et encore, je n'en suis pas sûr car, deux cents ans plus tard, Beethoven demeure : on joue ses pièces, on le statufie, on le révère, on glose sur lui. Quoique la Faucheuse ait voulu le chasser de la scène, Ludwig van est revenu. Invincible...

Dans mes heures de désarroi, j'écoutais la *Troisième Symphonie* ou *La Sonate au clair de lune* pour son final... À coups d'arpèges conquérants, d'accords giclants, de percussions victorieuses, Beethoven m'insufflait son incroyable énergie, me rechargeait, me redonnait l'appétit, l'allant, le désir, l'allégresse. Même s'il écrit une marche funèbre, il la place quasi au début de sa *Troisième Symphonie*, il construit deux mouvements joyeux et pétulants derrière, la tombe n'étant surtout pas l'issue ! Il me rouvrait le chemin de l'avenir : oui, j'aurai une vie riche ! Oui, je créerai à mon tour ! Oui, j'aurai la force d'incarner mes rêves. Il me lavait de ma mollesse, de ma passivité.

– Le temps n'est pas ce qui passe mais ce qui vient.

En ces moments-là, il modifiait ma perception du monde : je ne devais pas subir le temps comme une fatalité, un cannibale qui me dévore peu à peu jusqu'à l'ultime seconde, mais le considérer comme mon pouvoir, la capacité de faire, le don d'agir. Beethoven me réinstallait aux commandes de mes jours, au poste de pilotage.

Peut-être estimez-vous que j'exagère ? Que je suis fou de définir en phrases ce que la musique raconte en sons ? Je ne le crois pas.

La musique est tellement plus que de la musique. On l'oublie quand, au Conservatoire, on l'apprend, mais on l'éprouve lorsque, dans la solitude, on l'écoute.

Les musiciens n'insufflent pas que des notes, des accords, des rythmes et des timbres en nous ; ils nous communiquent une dynamique, un tempérament, une vision. Pénétrant au plus intime de l'intime, dans notre âme qui vibre, tels les marteaux d'un piano tapant les cordes, les morceaux percutent et activent nos sentiments. Ils consolent, ils ébranlent, ils allègent ; ils consolident la joie, la fureur, l'impatience ; ils effraient, apaisent, relancent. Rien ne nous touche plus profondément ni plus vite que la musique.

La musique intervient dans notre vie spirituelle. Des compositeurs comme Bach, Mozart, Beethoven, Schubert, Chopin ou Debussy ne se réduisent pas à des fournisseurs de sons : ils sont aussi des fournisseurs de sens. Certes, ils n'utilisent pas des concepts comme Platon ou Kant ; plus vigoureux encore, ils nous atteignent ailleurs, à la racine, en dessous des raisonnements et des calculs, là où l'esprit palpite, respire, ressent. Car l'entendement auquel se limitent les purs rationalistes ne forme qu'une des couches du cerveau, pas la plus superficielle mais pas la plus constitutive. Sous les idées, les théories, les hypothèses, il y a quelque chose de mouvant qui soutient et porte le reste : les sentiments.

La flèche de la musique arrive là, dans cette chair sensible, la pulpe de l'esprit.

En cela, la musique délivre davantage un message spirituel – affects, intensité, valeurs – qu'un message intellectuel. Ce qui explique sans doute notre difficulté, voire notre réticence, à traduire un concert en mots, car, toujours, la musique précède et excède les phrases.

Essayons néanmoins de formuler cette spiritualité beethovenienne... Trois éléments la structurent :

– humanisme,

– héroïsme,

– optimisme.

Beethoven m'expliquait que l'être humain est le centre d'intérêt, fort, grand, admirable, ne renonçant jamais. Il m'inoculait sa religion de l'homme.

Quoi de plus important pour un adolescent que de croire qu'il y a intérêt à vivre, à devenir adulte, à se battre, à se conduire à hauteur d'idéal ?

Mozart ne me disait pas ça. Ni Bach.

Par contraste, lors de nos démêlés, Beethoven pouvait donc triompher, salvateur, assuré de son influence sur moi. En effet, que me proposaient ses rivaux ? Mozart murmurait « accepte » et Bach « agenouille-toi ». Des conseils que je ne saisissais pas à l'époque. Et qui ne me servirent que longtemps plus tard…

*

Si Beethoven avait tant d'emprise sur moi pendant mon incommode jeunesse, c'était aussi parce que j'avais adopté l'athéisme familial. En accord avec cette indifférence, Beethoven ne s'occupe pas de Dieu.

Bach, c'est la musique que Dieu écrit.

Mozart, c'est la musique que Dieu écoute.

Beethoven, c'est la musique qui convainc Dieu de prendre un congé car il constate que l'homme envahit désormais la place.

Avec Beethoven, Dieu perçoit que l'art ne parle plus de lui, ne s'adresse plus à lui ; il parle des hommes et s'adresse aux hommes. Dieu découvre qu'il a perdu non seulement la suprématie, mais aussi le simple contact. Le divin pâlit, remplacé par l'humain. Certes, l'individu Beethoven conserve un vocabulaire chrétien, des valeurs évangéliques, certifie adorer le Créateur ; cependant, à un ami qui invoquait Dieu, Beethoven rétorqua : « Ô homme, aide-toi toi-même. » À la foi en Dieu, Beethoven substitue la foi en l'homme.

La première musique humaniste de l'Histoire...

Le lien est rompu entre Dieu et la musique. Avec Beethoven, Dieu boucle ses bagages, s'absente des partitions. Il reviendra rarement – pour Bruckner, Fauré, Messiaen...

Si le ciel ne se vide pas – Beethoven se dit croyant –, il se réduit à un couvercle qui ne bouge plus, qu'on ne cherche pas à entrouvrir : tout se déroule en dessous.

Quand Beethoven lève les yeux, c'est pour étudier les nuages, jamais pour scruter l'Infini. Ainsi décrit-il un orage dans la *Sixième Symphonie*, la *Pastorale*. Oh, il ne risque guère le torticolis car son observation reste brève : un horizon noir se charge de nuages, éclairs, tonnerre, puis le firmament vomit, crève en pluie. Sitôt la dernière goutte tombée, Beethoven redescend au sol et ne redresse plus la tête ; ce sont les ruisseaux, les paysans qui l'intéressent.

Il ne regarde pas en haut, il regarde l'homme et le trouve haut. Pas de *Gloria*, de *Magnificat* ou de *Lauda te* chez Beethoven ; à la différence de Bach ou Mozart, il ne remercie pas le Créateur ni ne l'implore. Dieu réside loin, Beethoven fait sans lui.

Lorsque j'écoute la *Neuvième Symphonie*, j'ai l'impression d'assister à la Genèse, un colossal récit cosmologique.

Premier mouvement : à l'aube du monde, on ne voit pas clair ; ça commence par un magma, des sons indéterminés qui peinent à prendre forme ; se répand dans l'orchestre un gaz rampant ; serpente entre les pupitres une matière à éruption, une lave qui bouillonne, clapote ; puis la chaleur augmente, elle éclate, elle fuse. Beethoven nous installe dans les forges de la Création : les atomes se frôlent, se chahutent, s'unissent et s'agrègent. Les masses s'affermissent. On passe du gazeux au liquide, du liquide au solide. Ça explose. Puis ça recommence. À la fin, la Terre et les étoiles sont nées.

Où intervient Dieu dans ce cours d'histoire naturelle ? Nulle part.

Deuxième mouvement : le vivant apparaît. La vie éclate ! Plantes, fleurs, bourgeons percent ; des arbres monumentaux se dressent ; des animaux déboulent. C'est gai, sauvage, trépidant, ça crie, ça chante, ça danse. D'ailleurs, Beethoven n'a écrit qu'un mot pour décrire ce printemps cosmique dont la frénésie n'est interrompue que par des farandoles : « *Molto vivace.* » Ce n'est pas un programme, ça ?

Troisième mouvement : arrivent les hommes, ces animaux dotés de conscience. Cela est introduit comme une naissance précieuse, miraculeuse, entourée de sacré. Après quelques notes étonnées, une mélodie sublime advient, une mélodie qu'aurait pu écrire Mozart, une mélodie qui s'arrache au silence et n'y retourne jamais.

Un souffle existe qui va s'épanouir, se tonifier, s'enchanter de lui-même, se développer en volutes infinies. Beethoven, de façon poignante, nous présente l'homme fragile, originellement convalescent. Quelle est sa faiblesse ? Sa force, c'est-à-dire la pensée. Débordant de tendresse et de compassion, Ludwig van souligne combien il aime cette bête inquiète, traversée de peurs, de questions, mais aussi tendue par l'idéal. Aussi pur que dans un de ses quatuors intimes, mais plus ample grâce à l'orchestre, il célèbre la condition humaine.

Pour l'instant, au fil de cette genèse, nous avons assisté à trois époques. Trois mouvements : trois règnes. Le règne minéral. Le règne du vivant. Le règne humain.

Quatrième mouvement : la joie comme l'aboutissement de la création. Les violoncelles et l'orchestre se chicanent, nous saisissons le conflit : comme il est douloureux d'exister !

③ Neuvième Symphonie, quatrième mouvement et final : « Hymne à la joie »

Puis, à l'improviste, sans effets de manches, les violoncelles murmurent la solution : soyons joyeux. Tout simplement... Sanctifier la joie, Beethoven y a songé sa vie entière ; il libère donc ici une phrase qui rôde et tourne en lui depuis des années car ce thème éclôt en 1808 dans la *Fantaisie* pour piano, orchestre, chœur opus 80, puis prend sa forme stable en 1822. Voilà, la mélodie surgit enfin, avec vigueur, elle est évidente, elle est radieuse.

L'orchestre s'arrête brusquement, comme une voiture pile en freinant. Que se passe-t-il ?

La voix de l'homme entre, utilisée dans son médium, au niveau où l'on parle.

Mes amis, cessons nos plaintes !
Qu'un cri joyeux élève aux cieux nos chants
De fêtes et nos accords pieux !

Quand je pense que Beethoven est mort...

Le baryton lâche le mot et le chœur – soudain réveillé après trois quarts d'heure de concert – y répond en écho :

Joie !

La chose est dite !

Désormais tout se calme ; le chanteur va murmurer la suite. C'est un souffle suave, une brise souple qui porte des odeurs de printemps, qui enchante sans encore provoquer l'ivresse. Ça entre en douceur, la joie, une brise, une caresse, un parfum dans l'air du soir. Il n'empêche ! L'irruption de la parole et du timbre humain dans une symphonie cause une surprise impressionnante. Mais Beethoven l'avait bien préparée : après ce gigantesque adagio – troisième mouvement – où se retient et s'accumule l'énergie, on a besoin de quelque chose d'inouï ; le ressort bandé, il faut que ça parte ! La voix de l'homme, voilà ce qui manquait à l'orchestre beethovenien. La preuve ? La mélodie a d'abord été exposée par les violoncelles, telle une musique pure, le baryton se contentant de la reprendre. La mélodie est donc plus capitale que les paroles, lesquelles ne demeurent que l'écume de la mélodie.

Joie ! Belle étincelle des dieux
Fille de l'Élysée,
Nous entrons l'âme enivrée
Dans ton temple glorieux.
Tes charmes relient
Ce que la mode en vain détruit ;
Tous les hommes deviennent frères
Là où tes douces ailes reposent.

Les apprécierais-je, ces vers de Friedrich von Schiller, sans les ailes puissantes que Beethoven leur ajoute afin qu'ils volent haut ? Je juge pertinent qu'on distingue leurs travaux par deux mots différents : on appelle *Ode à la joie* les strophes de Schiller et *Hymne à la joie* la déferlante sonore de Beethoven. La musique, en effet, transcende le poème, dessine des volutes exaltées, organise des échanges entre les quatre solistes et le chœur en écho. Puis soudain, jaillie d'un silence assourdissant, c'est une marche, une marche à la rutilance militaire, inexorable, héroïque : la joie conquiert le monde. Ensuite, après des cordes fiévreuses, retentit l'*Hymne* que le chœur chante par-dessus l'orchestre déchaîné. Inattendu : voici un ralentissement ; chœur et solistes, extasiés, succombent à un attendrissement quasi religieux sur un texte qui évoque le Dieu créateur. Là Beethoven joue sa partie décisive : s'il termine sur ses alanguissements élevés, cette musique prête à épouser le silence divin, il va peut-être rejoindre les horizons mystiques fréquentés par Bach ou Mozart ; or il continue ! Quoique Beethoven accorde à Dieu le premier mot, il ne lui confie pas le dernier : cela se remet à foisonner, à grouiller, à fuser, à tambouriner, la joie s'ensauvage, vire à la transe, c'est une danse dionysiaque, une explosion finale, une orgie cosmique.

Que faire sinon hurler et applaudir à peine l'ultime accord frappé ? Contaminés par la jubilation, gagnés par la sève robuste que dispense l'œuvre, les auditeurs doivent au plus vite remercier les musiciens. La *Neuvième Symphonie* remporte nécessairement un triomphe. Depuis des siècles, les formations orchestrales et chorales – amateurs ou professionnelles – exécutent cette œuvre incandescente ; à chaque fois, malgré les couacs, les approximations, sous la pluie, sous les bombes – surtout sous les bombes –, le cœur des hommes se trouve purifié, régénéré par cet ouragan de tonicité et d'optimisme. L'œuvre la plus haute de Beethoven demeure la plus accessible : c'est une messe, la messe de l'humanité, celle qui accueille chacun quels que soient son âge, sa couleur, sa classe sociale, sa religion, celle qui nous indique que nous devons dépasser la souffrance et nous aventurer dans l'allégresse.

Plutôt que l'*Hymne à la joie*, j'aurais envie d'appeler cette œuvre *La Rédemption par la joie* car la musique de Beethoven offre une leçon. Nos vies sont dramatiques, tragiques, douloureuses, mais le drame ne constitue pas le but du drame, le tragique doit être accepté, la douleur surmontée. Libérons-nous ! Parce que nous subissons la tristesse, l'inévitable tristesse, nous ne devons pas la cultiver. Mieux vaut cultiver la joie. Que la liesse domine ! Beethoven nous emmène à l'école de l'énergie. Soyons enthousiastes au sens grec, c'est-à-dire laissons descendre les dieux en nous, délivrons-nous du négatif. La bacchanale plutôt que l'apocalypse. Voilà Beethoven plus païen que chrétien...

Entre la séduction de l'abîme et la jouissance de respirer, Beethoven a choisi : il préfère la ferveur.

Et Dieu, là-haut, penché sur le bord d'un

nuage, se dit que, certes, cette *Neuvième Symphonie* produit un fichu vacarme, mais que si les hommes la comprennent, il peut encore prolonger ses vacances…

*

Les amants se séparent toujours pour les raisons qui les ont d'abord réunis. Beethoven m'avait séduit par sa positivité et sa stimulation passionnelle ; c'était cela même que je fuyais en l'abandonnant.

À vingt ans, je rompis avec Beethoven parce que – croyais-je – j'avais reçu, compris, assimilé ce qu'il me donnait. Lorsqu'il prenait la parole, lassé, je soufflais désormais les phrases.

Je voulus passer à autre chose.

Mes études de philosophie me précipitèrent dans l'univers des concepts ; je me détournai des valeurs, des inclinations, des attachements, de cette forge ardente à la chaleur de laquelle

Beethoven m'avait exposé ; j'accédai au laboratoire de l'entendement, un espace froid, clinique, stérilisé, où seuls comptent les définitions, les inductions, les déductions, l'interrogation sur les présupposés, les arguments. Cédant à la prévention des philosophes qui estiment – à tort – que penser nécessite d'éloigner les affects, je me transformai en pur intellectuel. Dès lors, Beethoven m'apparut confus, brouillon, émotif, hystérique ; pas uniquement Beethoven, d'ailleurs, car, pendant ces années-là, je boudai aussi Mozart, Schubert, Chopin ; je ne m'intéressais plus qu'aux grammairiens de la musique, Schönberg, Webern, Berg, ou Boulez dont j'allais suivre les cours au Collège de France.

Pour l'intellectuel neuf que j'étais, tout sentiment relevait de la fièvre. Selon le jeune rationaliste, le cœur drainait l'irrationnel. Même l'expérience de la beauté s'avérait équivoque... Dégager du sens, c'était l'affaire de la philosophie, de l'exclusive philosophie.

Je devins un homme de mon siècle. Si dans l'enfance, par le hasard des rencontres – un livre qui traîne sur un rayon, une Mme Vo Than Loc qui fusille la médiocrité environnante –, on peut se construire une culture buissonnière, originale, intempestive, à vingt ans on se fiance avec son époque, puis, sitôt qu'on rentre à l'université ou dans une grande école, on l'épouse. J'embrassai ses valeurs, ses automatismes, ses préjugés, ses impensés. Il n'y a pas d'autre piscine que le conformisme pour apprendre à nager... Je clapotais dans la sueur de mes contemporains, à température identique, aux heures d'affluence. Devrais-je dire « aux heures d'influence » ?

Tel est le destin des oiseaux chanteurs : avant de passer rossignol, on commence perroquet.

Par mimétisme, j'adoptai donc le pessimisme régnant. Dans ce XXe siècle qui avait inventé les totalitarismes, déclenché deux guerres mondiales sanglantes, cumulé programmes d'extermination nazis et goulags soviétiques, où avaient, sur une terre souillée par l'industrie, explosé des bombes atomiques dont la prolifération mettait désormais le vivant en danger, bref, dans cette ambiance fumante au parfum de catastrophe, il aurait fallu se montrer bien niais pour croire, comme nos ancêtres du XVIIIe ou du XIXe siècle, que l'humanité progressait ! L'optimisme était mort dans les camps.

Les intellectuels furent des témoins choqués, traumatisés, désespérés. Le pessimisme teinta les opinions, prenant diverses couleurs dans la société, parfois celle du nihilisme, souvent celle du cynisme, le plus couramment celle d'un individualisme forcené, culte du plaisir ou du profit. Une chose avait donc disparu : un rêve de l'homme pour l'homme.

Non seulement l'individu d'aujourd'hui n'entrevoit pour demain que l'apocalypse, mais il considère que l'apocalypse a déjà commencé.

Alors l'*Hymne à la joie*...

*

Zurich. Fin des années 1990. Je marche dans cette ville étrange, à la fois austère et coquette, riche et discrète, endormie malgré ses animations, où je suis venu rencontrer la presse avant d'assister à la générale d'une de mes pièces au Schauspielhaus. Pendant plusieurs jours, pour tromper l'attente, je vais assister aux spectacles qui occupent les scènes.

On affiche *Fidelio*, l'unique opéra de Beethoven. Bof... Dirigé par Harnoncourt, ce chef singulier qui vivifie la substance dramatique des œuvres qu'il joue. Pourquoi pas ? *Fidelio*, j'en connais quelques airs mais je ne l'ai jamais vu ni écouté en entier, repoussé par sa mauvaise réputation dans la sphère lyrique, accablé à l'avance par le livret, détourné par les hésitations de Beethoven lui-même qui, insatisfait, en multiplia les versions. Pour moi, il est évident que Beethoven ignorait l'art théâtral :

n'avait-il pas, en effet, quoique adorant Mozart, reproché à cet as des tréteaux sa trame, *Don Giovanni*, l'histoire d'un libertin provocateur, en estimant la matière trop vulgaire ? J'avais jugé si sotte sa prude remarque que j'avais boudé son *Léonore ou l'amour conjugal*, premier titre qu'avait reçu *Fidelio*. L'amour conjugal ! Quel sujet ! Une pièce vertueuse ? Belle perspective d'ennui... D'emblée, j'imaginais l'œuvre fade, solennelle, antidramatique. L'excuse de Beethoven pour l'avoir écrite, c'est qu'il ne savait pas de quoi il parlait puisqu'il n'avait jamais été marié : seul un puceau de la vie à deux idéalise le couple...

Voilà l'état dans lequel j'entre à l'Opéra de Zurich.

La musique bondit de la fosse, rude, organique, loin des mignardises à quoi se réduisent d'ordinaire les ouvertures, ces sucreries mielleuses saupoudrées de poudre à éblouir. Ici, un éclat surgit du silence, puis une méditation sur laquelle s'accroche un thème vif, lancé par le cor, tonique, gymnique, qui donne à l'orchestre sa dynamique contagion. Ni chiqué ni artifice, on ne se croirait pas à l'opéra, on oublie le lustre, le velours, les vanités.

Le rideau s'ouvre sur un plateau sombre. L'action se passe dans une prison, autrement dit, dans le noir. Cette audace m'effraie ! Peut-on prendre autant le public lyrique à rebrousse-poil ? Beethoven renonce au faste que présentent les décors d'opéra ; je suis d'ores et déjà certain qu'il n'y aura ni danse ni corps de ballet ; décidément, Beethoven prend tous les risques vis-à-vis des lyricomanes frivoles et conservateurs ; je crains le four ; j'ai l'impression d'assister à son suicide en direct.

La mise en place de l'histoire ne me rassure pas ; au contraire, je serre les dents. Léonore cherche la trace de son mari Florestan, lequel s'est absenté ; sans imaginer que, lassé de sa figure, il ait pu aller chercher des allumettes ailleurs et qu'il ne se pointera que dans vingt ans flanqué de plusieurs enfants conçus avec une jeunette, Léonore suppose aussitôt qu'il a été emprisonné injustement dans la forteresse où nous nous trouvons. Pour y pénétrer, elle se déguise en homme puis décroche un poste de gardien. Là, comme toujours à l'opéra dès que survient un travesti, les comparses deviennent sourds et aveugles : aucun ne reconnaît une femme dans ce trop joli garçon aux hanches suspectes, ils n'entendent pas une soprano mais un baryton gavé aux hormones de taureau. L'ange de la vraisemblance survole les planches, oreilles bouchées, yeux bandés... Même la seconde fille de l'histoire, la futée Marcelline, une coquine toute neuve, finement roulée, déjà lancée à la chasse aux fiancés, se laisse abuser par Léonore alias Fidelio ; tenez-vous, non seulement elle ne repère pas la femelle sous le costume approximatif, mais elle a le béguin pour elle-lui. Soit elle mérite un zéro en physiologie masculine, Marcelline, soit c'est une lesbienne qui s'ignore.

Pendant une bonne demi-heure, je me demande en soupirant si je vais avoir la patience d'endurer ça jusqu'au bout.

Mais Beethoven avance, indifférent à mes réticences, têtu, confiant. Inexorable…

Léonore se plante devant la rampe et chante ses doutes, sa colère, sa douleur, son espérance : « *Abscheulicher ! Wo eilst du hin ?* » (Monstre, où cours-tu ainsi ?) Par réflexe, je ferme les yeux pour écouter.

Et alors je commence à comprendre ce qui arrive… En me privant de la vue, je vois enfin le théâtre : il réside dans la musique. L'action a quitté la scène pour gagner la fosse. L'orchestre est le lieu où le drame s'élabore, chaque instrument y tient un rôle, et les voix qui en sortent à leur tour y participent. Les sentiments, les aspirations, les mouvements, les lumières, ils sont là, écrits par Beethoven. Au fond, il a raison : pas besoin de décor, un noir de fumée suffit ; au diable, les attributs traditionnels du show, le vrai spectacle reste celui des cœurs tourmentés.

Je bascule. Le chant des prisonniers « *O welche Lust* » (Oh quelle envie) abolit mes ultimes réticences : l'œuvre me passionne.

Quand, au deuxième acte, apparaît Florestan dans sa cellule, je suis transi. Voilà l'homme selon Beethoven, l'homme entravé, humilié, dépouillé, immobilisé par des chaînes dans l'obscurité, empêché d'aimer ! Ce héros qui a d'emblée l'air d'un Prométhée vaincu, malade, accroché au rocher, il me bouleverse. Attend-il encore quelque chose ? Il semble aussi prisonnier du désespoir.

Intraitable, tenace, Léonore va le sauver, le libérer, le rendre à la lumière du jour.

(4) Fidelio, extrait du final de l'acte II

Le final, à partir de l'extatique « *O Gott! O welch ein Augenblick* ! » (Mon Dieu, quel moment), m'emmène au plus haut ; le lustre décampe, le plafond de l'opéra s'est volatilisé, j'aperçois le ciel.

Après la dernière note, je tremble, incapable d'applaudir. Une chaleur inhabituelle sur mes joues m'apprend que mes yeux pleurent... Sans moi, la salle accorde un triomphe mérité aux interprètes.

L'unique drame lyrique de Beethoven reprend en l'inversant le premier opéra de l'Histoire, l'*Orfeo* de Monteverdi : un sauvetage matrimonial. Ce n'est pas l'homme – Orphée – qui va chercher sa femme Eurydice aux Enfers mais l'épouse – Léonore – qui va chercher son mari Florestan en prison. Étrange similarité... Mettre une histoire en musique plutôt qu'en mots inciterait-il à parler de fidélité, guérir l'être humain par l'amour ?

Après la représentation, je marche longtemps dans le Zurich nocturne en proie à des rêveries nouvelles. Je songe à la dimension sublime que le compositeur a extraite de cette femme d'un mètre soixante, cette Léonore aux inflexions aiguës qui porte si mal la culotte, cette ménagère dont je voulais tant me gausser d'abord. Quelle route Beethoven m'a obligé à parcourir... Tandis que je ricanais à l'ouverture du rideau, à sa fermeture j'étouffais de gratitude. Passant de la moquerie à l'émerveillement, ma vision a changé.

De plomb, mon regard est devenu d'or.

Quelle formule constitue le secret de l'alchimiste Beethoven ?

Une réminiscence d'Aristote me met sur la voie. Analysant – il y a deux mille quatre cents ans – la comédie et la tragédie, Aristote les différenciait par l'enjeu moral : la comédie peint ce qu'il y a de petit en l'homme, la tragédie montre ce qu'il y a d'élevé. L'une vise bas, l'autre vise haut. Comédie et tragédie ne s'opposent pas sur le rire et les larmes – on ne s'esclaffe pas forcément à une comédie, on ne sanglote pas nécessairement à la tragédie –, mais sur le contenu philosophique. La comédie souligne les défauts des hommes, niaiseries, mesquineries ; la tragédie en exalte les qualités, intelligence, courage. La comédie diminue, la tragédie agrandit.

Se moquer revient à affirmer une supériorité sur ceux qu'on fustige ; le ricaneur juge, condamne, glacé, méprisant. Tout comique ne se place pourtant pas au-dessus de ce qu'il décrit, il se perçoit parfois aussi misérable et adopte alors la compassion, cette fraternelle pitié que l'on nomme humour. Néanmoins, froids ou chauds, les amuseurs expriment une conception désabusée, sinon désespérée, de l'humanité.

L'auteur tragique, en revanche, traque la splendeur et la dignité humaines. Le personnage principal est promu héros ; même blessé, même humilié, même mourant, il garde le front haut, la prunelle claire : il tient debout. Comme Ludwig van, le héros tragique provoque l'admiration.

Beethoven me le prouve : on peut chanter dans une impasse, revendiquer l'optimisme en ayant conscience du tragique. Parce qu'on dénonce le mal, la violence, la douleur, parce qu'on présente l'homme dans l'obscurité, les fers ou l'ignorance, on désigne sa précellence, on fête sa vaillance.

Je mesure la sottise de mes préventions antérieures, lorsque je présumais, en m'asseyant au balcon tout à l'heure, qu'il était impossible de réussir un opéra sur la vertu.

En France, on répète à satiété la sentence : « Ce n'est pas avec de bons sentiments qu'on fait de la bonne littérature », une saillie amusante d'André Gide qui se pétrifia malheureusement en critère littéraire. Chez les petits marquis soumis aux diktats du cynisme ou du nihilisme ambiants, l'aphorisme vira à : « Les bons sentiments fabriquent de la mauvaise littérature. » Adieu donc, Corneille, Goethe, Rousseau, Dickens, et tant d'autres – à coup sûr Gide lui-même, intellectuel militant ! À la trappe Bach ! *Farewell* Beethoven ! Dans les poubelles de la morale ! Certains amateurs de fausses fenêtres pour la symétrie, vont encore plus loin, arguant que « les mauvais sentiments engendrent la bonne littérature » ou que « les mauvais sentiments améliorent la littérature », comme si les sentiments, quels qu'ils soient, donnaient l'aptitude à écrire une phrase valable, à organiser une histoire, à créer une cohérence entre une pensée et son expression. Faut-il que notre époque soit désespérée pour qu'un simple trait d'esprit fonde un catéchisme, nous fournisse des repères. Quel naufrage... Pauvre Gide à qui l'on prête cette sottise, car la bêtise ne réside pas dans la boutade de cet homme intelligent, mais dans l'usage qu'en tirent les imbéciles.

Et, avant de voir *Fidelio*, je lui appartenais, à cette troupe d'imbéciles, puisque j'avais débarqué lardé de préjugés à l'Opéra suisse.

La vigueur de l'œuvre m'a permis de lâcher cette masse un instant, de marquer un pas de côté.

Cependant, j'oublie mon expérience zurichoise, je la plie dans un mouchoir, la range contre mon cœur. Il me semble que ce que j'éprouve ce soir-là, c'est, sinon honteux, du moins, anachronique, un vent contraire soufflant dans l'air du temps. Je n'ai pas la hardiesse de lui emboîter le pas, ni de modifier mon opinion du monde.

Voilà ce que ma conscience superficielle assure de sa voix claire.

Or, au creux de moi, dans l'imaginaire, dans la sensibilité, dans la mémoire, une trace plus épaisse se dépose. Laquelle accomplira son travail toute seule.

Sans moi. Ou cette partie bavarde, sociale, influençable, que j'appelle « moi »…

Par la suite, en tant qu'écrivain, je serai attaqué pour usage de « bons sentiments ».

Heureusement, grâce à Beethoven et à ce *Fidelio* miraculeux de Zurich, je saurai comment, non pas riposter, mais hausser les épaules afin de continuer mon chemin.

*

J'avance trop vite.

Car la matière résiste, rebelle... Les péripéties, les rendez-vous, les décennies qui s'écoulent, les réflexions, la musique... chaque élément possède son rythme propre. La vérité ignore le temps. Une rencontre s'avère « décisive » quelques années plus tard ; une première fois n'acquiert son caractère de « première fois » qu'après avoir provoqué un changement, à la centième fois peut-être... Si nos existences sont chronologiques, la vie de notre esprit ne l'est pas.

Le piège d'un récit autobiographique consiste à imposer un ordre à des réalités fragmentaires, dissociées – que cet ordre soit temporel, narratif, ou rationnel – et, dès lors, ne plus respecter les réseaux subtils, complexes, anachroniques, sécables, qui tissent l'étoffe d'un destin.

Beethoven avait disparu de mon quotidien. En tout cas, de mon quotidien conscient. Je ne l'écoutais plus, je ne m'y référais pas, je n'y songeais jamais.

Aussi lorsque j'entrai, à quarante ans tassés, au Ny Carlsberg Glyptotek dans ce musée danois qui consacrait une pièce à Beethoven – ses masques, ses portraits sculptés –, je fus frappé de stupeur.

Cela s'effectua en deux temps.

– Curieux, m'étonnai-je, Beethoven a tant compté pour nos ancêtres qu'ils en collectionnaient les images, qu'ils organisèrent un commerce de ses effigies, que de prodigieux sculpteurs qui ne l'avaient jamais croisé employaient leur talent à façonner sa figure !

D'abord, je me rendis compte que nous avions rompu avec cette époque puisque, aujourd'hui, cette prévalence avait cessé.

– N'ai-je pas, ajoutai-je, moi aussi, passé autrefois des centaines d'heures en compagnie de ce bonhomme ?

Je fixai la tête muette.

Beethoven soutint mon regard sans ciller, les traits durs, fermés sur eux-mêmes, comme si ce visage, qui n'entendait plus les bruits hors de lui, les entendait mieux en lui. Rien ne le déconcentrait. Tout indiquait la force : une face en muscles, la vigueur d'un cou robuste, des mâchoires de lion, cette crinière drue, sauvage, hérissée autour d'un front immense que la cogitation a constellé de bosses lorsqu'elle cherchait des issues, des yeux médusants, sombres, enfoncés, logés autant dans le crâne qu'à sa surface, exprimant un monde intérieur davantage qu'ils n'observent le monde extérieur.

Cependant, adoucissant ce faciès agressif, une fossette d'enfant et une bouche ourlée, délicate.

Puis le buste commença à parler. Que dis-je ? À vrombir, à chanter, à déverser des flots de notes... Son énergie se déchaînait. Ce n'était pas uniquement sa musique qui entrait en moi mais un état d'esprit. J'éprouvais l'émotion qui nous dévaste lorsque nous abordons un souvenir évanoui : le plaisir des retrouvailles joint à la souffrance soudaine de la séparation.

Je découvrais que Beethoven m'avait manqué.

Une conception de l'univers me revenait.

Laquelle ?

La croyance en l'individu. Beethoven, au rebours de son époque futile, résistant aux obstacles – pauvreté, surdité, échecs amoureux, maladies – qui s'amoncelaient, négligeant les critiques, indifférent aux modes, Beethoven croyait à l'affirmation individuelle. Et cela ne se confond pas avec l'individualisme – cet égoïsme qui prospère dans l'incurie –, cela avance l'idée qu'un individu dispose d'un don, le pouvoir d'être lui-même, de changer ses contemporains – voire la postérité –, d'influer sur la société.

La puissance de l'individu, notre époque l'a tuée. Personne n'estime raisonnablement aujourd'hui qu'un individu compte. L'humain seul, nu, on ne le voit plus que broyé, servi en steak haché, dépassé par les progrès technologiques, exposé à la rapacité des banques, états, groupes capitalistiques. Les structures économiques, financières, politiques, médiatiques triomphent, plus contraignantes que n'importe qui. On n'espère plus en la révolution, on rit de l'initiative.

Auschwitz témoigne de ça. Auschwitz, ce n'est pas qu'Auschwitz ni la Shoah, c'est le symbole des forces qui broient l'homme, des totalitarismes, du monde qui se vide de sa substance humaine. Auschwitz, c'est la preuve que le progrès, s'il existe en sciences et en techniques, n'existe pas en humanité. Raté : avec le temps, les hommes ne deviennent pas meilleurs, ni plus intelligents ni plus moraux. L'humanité ne s'élève ni systématiquement ni inexorablement. Sans flamme individuelle, les barbares stagnent dans leur barbarie, même s'ils accumulent les informations et maîtrisent des techniques sophistiquées. Auschwitz, c'est le cimetière des Juifs, des tziganes, des homosexuels, mais c'est aussi le cimetière d'une espérance.

Soudain, à Copenhague, face à ce crâne viril qui m'envoyait sonates, symphonies et concepts, je m'interrogeai : avons-nous raison d'abandonner la partie ?

Devons-nous laisser le siècle nous écraser ? Ne plus croire en nous ? Nous résoudre à survivre au lieu de vivre ? Vaquer sans rien attendre, sinon la fin ? L'absurde occupera-t-il tout le terrain ?

Le buste de Beethoven me réveillait. Par lui, je concevais que, depuis deux décennies, je ne marchais qu'à moitié dans mes vraies chaussures, que je ne séjournais que partiellement en mon enveloppe, qu'un pan de mon esprit avait brûlé. Beethoven réactivait mes émotions, remuait mes sentiments, me soufflait que je pouvais servir, me battre, m'investir, aimer les autres au-delà du pondéré.

Combatif, teigneux, volontaire, Beethoven me toisait comme un bélier regarde le portail qu'il va défoncer.

Je l'autorisai à fracasser mes réticences.

Ainsi Beethoven avait trépassé deux fois, une fois de chair au XIXe, une fois d'esprit au XXe siècle. Avec lui s'était éteint un certain humanisme.

Fini ! Nous ne croyons plus en l'homme.

Mais alors, en qui ?

Le salut demeure-t-il possible ?

*

Je ne connais rien de plus vertigineux qu'une étincelle.

Brève, fragile, expirant dès sa naissance si elle ne trouve pas où se lover, elle surgit et s'éclipse. On ne se méfie pas de cet éclat, lequel déclenche pourtant les incendies ravageurs, les feux inextinguibles, les désastres qui nous terrorisent.

La pensée est une étincelle. L'air bénin, inefficace, elle n'annonce pas en son début les proportions que peut prendre sa diffusion, ni sa capacité d'embraser le monde en bien comme en mal.

Sous le crâne de Beethoven, il y a cette étincelle.

Et lorsque son buste me fixe, j'ai l'impression qu'il en allume une, semblable, en moi : je me remets à croire en l'homme, en sa force individuelle, à la contagion du courage.

Qu'est-ce qu'un homme ?

Celui qui se pose cette question, justement.

Être un homme, c'est trimballer ces interrogations incessantes. Être un homme, c'est porter dans sa chair le lieu problématique de tous les problèmes.

Pas reluisante, la condition humaine... Ni enviable. Comme les animaux ont de la chance, eux, dotés d'un instinct qui leur apporte la réponse sans que la question soit formulée, jouissant d'une conscience d'exister que ne double pas la conscience de devoir disparaître ! Nous, il ne brille pas, notre dénominateur commun : une inquiétude. Frappés de doute, avançant dans un marais aux eaux troubles, nous ne partageons que notre faiblesse, notre ignorance.

Depuis toujours, les hommes détestent la condition humaine. Ils s'accommodent mal de ce qu'ils sont ; ils se préféreraient dieux, statues, voire arbres. Abominant ce creux vertigineux qui les constitue, ils se prétendent plus solides, plus denses, moins éphémères, ils s'inventent des racines. Hier ou aujourd'hui, ils se définissent par un lieu de naissance, une famille, un clan, une nation, une religion ; ils s'attachent, ils se fondent, ils se lient à ce qui n'est pas eux et qui subsiste, ils se donnent de la consistance, tentent de se couler dans le bronze. Refusant d'avoir le problème comme identité, ils y substituent des identités qu'ils voudraient dépourvues de problèmes. Oubliant d'être un homme, chacun se conçoit plutôt comme un Américain, un Chinois, un Français, un Basque, un catholique, un musulman, un homosexuel, un riche, un pauvre... Comme si un masque recouvrait un homme entier, comme si un habit planquait la condition humaine...

Beethoven, lui, ne se montre pas dupe.

Lucide, il sait qu'une trajectoire humaine représente un combat dont on sort vaincu : on perd ses forces, les gens qu'on aime, le pouvoir de faire, enfin la vie elle-même. On ne gagne pas. La seule promesse que réalisera demain, ce sera notre défaite. Jamais on n'a vu une chèvre venir à bout d'un loup, nous précise Alphonse Daudet dans sa terrible fable, *La Chèvre de M. Seguin*, où une biquette, par amour de la liberté, quitte la prison de son enclos pour découvrir la nature sauvage, s'en enivrer lorsque, au soir, le loup s'approche en se léchant les babines. « Un moment, en se rappelant l'histoire de la vieille Renaude qui s'était battue toute la nuit pour être mangée le matin, elle se dit qu'il vaudrait peut-être mieux se laisser manger tout de suite ; puis, s'étant ravisée, elle tomba en garde, la tête basse et la corne en avant, comme une brave chèvre de M. Seguin qu'elle était [...]. Non pas qu'elle eût l'espoir de tuer le loup – les chèvres ne tuent pas le loup : mais pour voir si elle pourrait tenir aussi longtemps que la Renaude... Alors le monstre s'avança, et les petites cornes entrèrent dans la danse. Ah ! La brave chevrette, comme elle y allait de bon cœur ! Plus de dix fois, elle força le loup à reculer pour prendre haleine. Pendant ces trêves d'une minute, la gourmande cueillait en hâte encore un brin de sa chère herbe, puis elle retournait au combat, la bouche pleine... Cela dura toute la nuit. De temps en temps la chèvre de M. Seguin regardait les étoiles danser dans le ciel clair, et se disait : "Oh ! Pourvu que je tienne jusqu'à l'aube..." »

Si tout a un terme, alors à quoi bon ?

Pourquoi lutter, résister jusqu'à l'aube ?

Beethoven me dévore de ses yeux noirs, fumants, et m'objecte :

– Le but n'est pas de changer la condition humaine en devenant immortel, omniscient, tout-puissant ; non, le but est d'habiter la condition humaine.

Pour y parvenir, il faut d'abord accepter notre fragilité, nos défaillances, nos tourments, notre perplexité ; abandonner l'illusion de savoir ; faire le deuil de la vérité ; reconnaître l'autre comme un frère en questionnement et en ignorance ; cela s'appelle l'humanisme.

Pour s'y maintenir, il faut aussi lutter contre la peur, celle de l'échec, celle de la vie, celle de la mort ; cela s'appelle le courage.

Pour y persévérer, il faut exhaler ce qu'il y a de meilleur en l'homme, de beau dans le cosmos, d'admirable parmi la création ; cela s'appelle la hauteur.

Pour s'y sentir bien, il faut dépasser la tristesse, le désarroi, la haine du provisoire, le besoin de posséder ; on doit préférer ouvrir les bras, privilégier l'énergie, célébrer l'existence ; cela s'appelle la joie.

Humanisme, courage, culte de la hauteur, choix de la joie : voilà les quatre propositions de Beethoven.

On appelle cela une morale.

*

Quelques semaines après Copenhague, Beethoven était revenu dans ma vie. Je lui ouvris grand les portes de ma maison et le laissai de nouveau m'apprivoiser.

Combien d'heures avons-nous passées ensemble, au lit ou sur le canapé ? Plus j'écoutais ses sonates pour piano, plus je sentais le dur cuir de mon esprit s'attendrir. Sous l'intellect, les révoltes, les emportements, les apitoiements, les enthousiasmes renaissaient. J'avais l'impression que se revitalisaient des zones ravagées en moi.

Au fond, je me rééduquais à la naïveté.

Enfin, à la bonne naïveté…

Car il y a deux naïvetés, la néfaste et la salutaire.

Celle qui nie le mal et celle qui le combat.

La naïveté dangereuse consiste à ignorer les mauvaises intentions, à minorer l'injustice, à contester le sadisme, la cruauté ou la sottise.

Cette naïveté-là – un angélisme – rejoint l'imbécilité tant elle s'aveugle et s'écarte de la réalité.

La fructueuse naïveté, en revanche, ne s'illusionne pas sur l'état corrompu du monde. Sa marque distincte ? Elle agit. Elle refuse de collaborer avec le négatif, elle s'engage dans la lutte, elle continue à affirmer des valeurs positives, elle prétend que les individus améliorent les choses.

Au rebours de notre époque démissionnaire, Beethoven me rapprenait cette naïveté essentielle : la confiance. Croire en sa force et se forcer à croire.

Opiniâtre, pur, bandé comme un arc, Beethoven m'engageait à ne jamais me désengager.

– Quand je pense que Beethoven est mort alors que tant de crétins vivent ! s'était exclamé mon professeur de piano.

Beethoven me présentait, rangés en groupes, ceux que la péremptoire Mme Vo Than Loc désignait comme « les crétins » : les *indifférents*, les *blasés*, les *cyniques*, les *nihilistes*.

L'*indifférent* se fout de tout, de tous, de toutes, sauf de lui. Lui parler de solidarité, cela revient à parler points de tricot avec une limace. S'il s'éloigne de sa communauté, de sa génération, de celles qui suivront, il ne s'avère pas détaché de ses plaisirs. Étranger à l'univers, égoïste, inatteignable, il habite une terre aux frontières protégées qui s'appelle lui. Personne ne passe la douane.

Le *blasé*, qui a déjà tout vu, tout connu, tout vécu, tout entendu, s'avoue fatigué. Il l'est à n'en pas douter puisqu'il n'aperçoit plus que les ressemblances, jamais les différences, sa perception s'étant émoussée avec les ans. Quant à son imagination, elle s'est desséchée sans qu'il s'en rende compte. Une victime – consentante – de l'usure.

Le *cynique* déchiffre le monde d'une façon brillante, révélant toujours le noir sous le blanc, le vice sous la vertu, l'intérêt sous l'altruisme, en pratiquant un perpétuel soupçon. Allergique à l'idéal, détestant Beethoven, il se sert de son intelligence comme d'un scalpel qui éventre les évidences, déchire les illusions et dévoile des pans ignorés du réel ; cependant, par une étrange préférence, il n'en détache que les laideurs ignorées, les calculs dissimulés, les fondements mauvais. Pour lui, viser bas, c'est viser juste. Penser consiste à détruire, à déconstruire, jamais à édifier ni à créer. Je crains que cette complaisance pour le mesquin non seulement exprime le peu d'estime que porte le cynique aux autres, mais surtout révèle une étrange compétition. « Puisque le monde est mauvais, déclare-t-il, soyons au moins le plus mauvais. » Tendant à une ahurissante excellence, il développe un culte de sa propre intelligence assimilée à la dénonciation. Le cynique n'a plus d'idéaux sauf un : sa réussite ! Voici son axiome : « Tout se vaut, donc rien ne vaut, à part moi qui le montre ».

Le *nihiliste*, celui qui ne croit en rien, aspire à la pureté. Radical, il aimerait devenir le Saint du Néant. « Rien ne vaut, ni moi ni ma vie. » La conséquence logique du nihilisme reste le suicide. On ne rencontre donc jamais d'authentiques nihilistes car le vrai nihiliste est toujours déjà mort. Ceux que nous entendons pérorer sont des faux, des poseurs ou des postulants, des « qui voudraient bien mais qui n'ont pas l'audace », bref des incohérents. On ne croise que des nihilistes ratés.

À rebours, l'optimiste Beethoven croit à la richesse du monde naturel et humain, à sa profusion, aux milliers de surprises qu'il réserve. Beethoven n'est pas un défunt marchant dans un cimetière. Il demeure vigilant, il guette la grâce, il discerne la complexité, il débusque la grandeur. Une phrase de Nietzsche dans *Ainsi parlait Zarathoustra* me semble magnifiquement résumer cette bienveillance attentive : « Le monde est profond. Plus profond que n'a pensé le jour. »

*

Alors que, sous la conduite de Beethoven, je commençais ma convalescence, la vie me tendit soudain un piège.

J'appris que la personne que j'aimais était tombée amoureuse d'un autre.

De qui reçus-je cette révélation ? D'elle-même. Cela avait été dit doucement, sans agression, avec une honnêteté tranchante...

Ce n'était pas l'annonce d'un départ. Juste l'énoncé d'un fait.

S'il y avait une décision à prendre, j'en demeurais maître.

Entaillé par cet aveu, alourdi, je montai m'isoler dans mon bureau ; en vingt secondes, le temps d'une volée d'escaliers, l'atelier d'écriture devint mon refuge puisque là, d'ordinaire, je ne souffrais pas, je cohabitais heureux avec les créatures de mes fictions, je respirais large entre la page blanche, les murs pâles et le ciel pastel sur lequel donnent les vitres hautes.

Assis à ma table comme si j'allais travailler, je songeai à ce qui m'arrivait. Quelle ironie ! Lors même que j'avais rédigé maintes pages contre la jalousie – sentiment odieux, symptôme d'insécurité plus que d'amour –, voilà que m'était offerte l'occasion d'être jaloux.

Souffrais-je ? En moi s'était fracassé un rêve, celui d'un amour unique, perpétuel, insolent, inhabituel, modèle, lequel devait durer autant que nous ; de cette histoire sublime, la banalité était venue à bout, nous n'étions pas exceptionnels. Je me rappelai aussi les divers moments de tentation, lorsque, à mon tour, j'avais failli ruiner notre couple ; avec fureur, je me remémorai la douleur de mes renoncements, ce qu'ils m'avaient parfois coûté de tristesse, de lassitude, de mélancolie. Enfin, je me reprochai les moments d'absence, de négligence, qui avaient éventuellement provoqué cette évasion amoureuse.

Après quelques minutes, je commençai à noircir le papier. D'abord, par malaise : j'avais besoin de cracher ma peine, de vomir mon dégoût, d'expulser ce qui me broyait les tripes. Ensuite, par naïveté : mes mots ne pouvaient-ils pas transformer la réalité, créer un monde différent ? J'entrepris une lettre copieuse dont je crus, pendant dix paragraphes, qu'elle allait tout changer, démonter le passé, modifier l'avenir. Puis la stupidité de ma démarche m'apparut. Non, je n'étais pas Dieu, ni le démiurge de ma vie. Je n'avais aucun empire. Pas même celui d'arrêter de souffrir.

Effrayé, je repoussai les feuilles et me jetai dans la liseuse où à l'accoutumée les chiens s'installent pour surveiller mon labeur. J'avais le sentiment d'une double perte : on venait de briser mon couple, je venais de casser l'autre élément sacré, l'écriture. Car les minutes précédentes, je n'écrivais pas en artiste, non, je me soulageais ; ma parole ne s'adressait à personne, elle n'était qu'une complication du cri…

Je me mis à pleurer. Oh, je n'étais pas dupe de ces larmes, mais je m'y plaisais. C'étaient des larmes de nostalgie… Je pleurais pour redevenir un enfant. Je pleurais parce que je voulais croire que quelqu'un allait venir me consoler, qu'un chagrin capricieux modifierait magiquement l'univers.

Après deux heures, j'avais épuisé tous mes faux sortilèges : l'écriture et les sanglots.

Je me retrouvai nu, sans recours ni artifices. La solitude me foudroya. Je craignis le silence.

D'un geste presque réflexe, je branchai la radio.

Coda d'un morceau. Un temps. J'attends la désannonce du présentateur m'apprenant les noms des interprètes.

Or la musique reprend.

Je la reconnais. Mouvement lent du *Quatrième Concerto* pour piano. Beethoven encore ! J'hésite à éteindre l'appareil...

L'orchestre s'empare de moi, me secoue, m'ordonne de l'écouter.

Au début, c'est un conflit. Deux entités s'opposent : les cordes violentes, dramatiques, et le piano doux. Celles-là fument, raclent, menacent, grondent ; celui-ci murmure. Leur antagonisme de timbre est poussé au paroxysme. Moi qui ai toujours pensé, comme Maurice Ravel, que ces instruments – archets et clavier – n'allaient pas ensemble, j'en ai la confirmation. La lourde masse des cordes aux sons musclés, tenus, tendus, tente d'assommer le grêle et solitaire piano.

Entre leurs interventions, du silence.

Un silence double : le silence où quelque chose meurt, le silence où quelque chose naît.

Le silence où s'évapore le fracas des cordes ; le silence où apparaît, fragile, le chant du piano.

Je commence à comprendre…

Choc d'énergies contradictoires. Goliath contre David. Le géant contre l'enfant. À première vue – ou à première oreille –, on connaît le résultat. Or, quoique les cordes cherchent à l'intimider, le piano ne hausse pas le ton, reste d'une étonnante sérénité, persiste.

Progressivement, le rapport des adversaires se modifie. Les cordes tonitruantes vacillent, louvoient, interviennent plus souvent mais sans parvenir à troubler la gentillesse du piano. Elles finissent par décroître, devenir l'écho d'elles-mêmes, tandis que le piano poursuit seul, épanouissant les fleurs de ses accords avec tendresse. Puisque le champ est libre, il se permet, le temps d'un long trille, de se montrer plus vibrant, plus sonore. Les cordes reviennent, domptées, et s'aplatissent en tapis.

L'antagonisme s'est estompé. Le recueillement l'a emporté sur le tumulte. L'indulgence règne.

L'héroïsme ne serait-il pas là où l'on croit ? Pas dans l'agressivité, le biceps, les grimaces effrayantes des matamores, mais dans le repli, la tolérance, le consentement ?

Je m'identifie au piano, cette voix faible, battue, qui ose le murmure. Elle se sait fragile mais elle n'emprunte pas les moyens de l'autre, elle ne mime pas la force, elle ne crie pas, elle ne répond pas à la violence par la violence.

C'est la victoire d'un chuchotis harmonieux contre le vacarme monodique, de l'espoir contre l'abattement. L'amour s'amorce, l'amour sourit, l'amour monte, l'amour se développe, sa sève envahit tout.

Me relevant, je quitte la pièce et descends les escaliers, impatient d'annoncer la nouvelle : je pardonne.

La sottise de mes souffrances antérieures me frappe. De quoi souffrais-je précisément ?

Pas d'amour, mais d'amour-propre car je me vantais d'appartenir à un couple supérieur, incorruptible, au-dessus du commun.

Pas d'amour, mais de radinerie puisque je refusais de partager l'être aimé, je tenais à le garder pour moi, à capturer et enfermer tous ses sentiments dans mon coffre.

Pas d'amour, mais de confusion mentale : si l'on aimait ailleurs, ce n'était pas parce qu'on m'aimait moins, juste parce qu'on aimait différemment une autre personne. Pouvais-je prétendre incarner tous les hommes ? Et tous les amours ?

Je pardonne.

Beethoven m'a purifié de mes pulsions agressives : ce qui faisait la beauté de notre couple, c'était l'amour, justement. Je ne tuerai donc pas l'amour. Au contraire, j'aperçois même un défi : prouver que l'amour existe.

Au bas de l'escalier, non seulement je pardonne mais j'accepte.

*

– Vous exagérez !
– Vous délirez...
– Vous inventez ?

Certains auront du mal à me croire. Ils refuseront de me suivre. Pas uniquement sur ma conception de l'amour, mais sur le guide que je revendique.

– Comment osez-vous prétendre que Beethoven vous conseille ? Et surtout que Beethoven vous enjoint d'agir plutôt comme ceci que comme cela ?

Ils me rappelleront que Franz Liszt avait interprété autrement ce *Quatrième Concerto* pour piano, y voyant, lui, le combat des Furies contre Orphée, lorsque ces monstresses veulent empêcher le poète de retrouver sa femme défunte aux

Enfers. Ils ajouteront que, de toute façon, Liszt ou moi, nous disons n'importe quoi puisque l'on pourrait aussi repérer dans cet antagonisme sonore le combat du masculin et du féminin, du yin et du yang, de l'adulte et de l'enfant, de la mort et de la vie, du mal et du bien, de Pilate et de Jésus...

– La musique n'est que de la musique, vociféreront-ils. La musique ne représente rien, n'illustre pas, ne pense jamais ! La musique n'a qu'une logique, la logique musicale. Elle évolue hors du sens. Ne tentez pas de la ramener à la sphère spirituelle.

Quelle attitude étrange... Ces intégristes, croyant servir la musique, la desservent car ils la retirent de nos vies, l'amputent de son pouvoir sur nous, la rendant superflue, insignifiante, accessoire, négligeable, sans conséquences.

Certes, je leur accorde volontiers que la musique ne représente rien : même si les compositeurs raffolent des titres narratifs, comme les

Quatre Saisons, la *Symphonie Pastorale*, Vivaldi n'égale pas Botticelli peignant des fleurs ni Beethoven Corot brossant la nature. Quand ils accolent un « programme » à leur musique, ils avouent justement l'incapacité de la musique à reproduire pertinemment la réalité : privés de leurs commentaires, nous n'aurions pas compris.

Cependant, ne rien représenter ne signifie pas n'avoir aucun sens.

La musique touche, insinue. Elle fouille, tourneboule et modifie l'humain, l'atteignant au plus profond.

Quand Liszt évoque Orphée face aux Furies, quand j'évite le crime passionnel ou la rupture pour m'ouvrir à une plus digne compréhension amoureuse, ni Liszt ni moi n'apportons la vérité, seulement notre vérité. Nous témoignons de la force et de la vitalité de cette musique. Lorsque nous décrivons ce concerto, nous racontons avec des approximations – des images et des phrases – les bouleversements intimes qu'a provoqués cette page en nous, sa puissance, sa fécondité. Nous témoignons que ce ne sont pas que nos oreilles ou notre cerveau solfégique qui furent affectés, mais davantage, tout notre être avec son histoire entière...

Le sens de la musique, ce n'est pas d'avoir un sens précis mais d'être la métaphore de nombreux sens. Sinon, autant employer les mots...

Si on considère la poésie comme la musique de la littérature, c'est parce que la poésie ne cherche pas l'univocité, elle incite, elle suggère.

Le mystère donne plus à réfléchir que la clarté. De surcroît, il n'est pas son ennemi puisque, au contraire, il est son fournisseur.

*

Je connais un arbre musicien.

Un jour, alors que nous cherchions une maison de campagne, nous l'avons croisé : l'arbre se tenait, couronne de feuilles tendres sur un tronc sombre, au milieu d'un jardin entre une tour médiévale mangée par le lierre et une bâtisse du XVIIe siècle en pierre bleue. Au début, il s'est montré discret, restant à sa place de végétal ; il nous a laissés explorer les bâtiments, parcourir le terrain, sonder les remparts ; il s'est contenté de nous attendre, convaincu qu'après ces examens techniques nous nous placerions sous lui. De fait, dans son ombre fraîche, enveloppé par ses branches parfumées, nous avons délibéré et discuté les atouts ou les inconvénients de cette propriété. L'évidence nous pénétrait lentement : nous nous plaisions ici... Pendant plusieurs visites, l'arbre nous accueillit, infusant cette sensation de félicité ; elle contaminait même nos trois chiens, qui, après avoir joué à se poursuivre dans l'herbe, à sauter les talus, à se cacher derrière les buissons, s'affalaient sur sa mousse, haletants, pour reprendre leur souffle, cœur battant, corps chaud, yeux plissés de bonheur. Après quelques semaines, nous avons acquis la demeure historique ; je crois cependant que nous achetions surtout le droit de fréquenter l'arbre enchanteur sous lequel on respire si bien.

C'est un tilleul, autrement dit un arbre double, affichant deux aspects, plat l'hiver, en relief l'été. De novembre à mars, lorsque ses branches nues se découpent sur le ciel blême, tels des traits à l'encre de Chine, il se réduit à un dessin, mais sitôt que le printemps l'étoffe de feuilles, l'arrondit, l'épaissit, il récupère sa troisième dimension et devient une sculpture animée.

C'est un tilleul, autrement dit plus qu'un arbre puisqu'il offre aussi une couleur – vert pâle –, et un parfum – doux, sucré, lénifiant.

C'est un tilleul, autrement dit, un refuge amoureux car, selon la légende, à l'abri de ses feuilles en forme de cœur, les sentiments se fortifient. « Pour peu que des époux séjournent sous leur ombre, ils s'aiment jusqu'au bout malgré l'effort des ans », affirmait La Fontaine.

C'est un tilleul, autrement dit, un scribe, un compagnon d'écrivain vu qu'on taille les crayons dans son aubier.

Or ce tilleul ne se comporte pas comme ses collègues : cet arbre s'est révélé musicien.

Quand je m'assieds sous son ombre, il m'envoie scherzos, adagios, allegros et andantes.

Ne croyez pas que j'évoque la banale connivence des arbres et des instruments – on sait que leur bois en fournit la matière principale, amplifie leurs sons, participe à l'élaboration de leur timbre, ainsi le noyer où résonne le piano, l'épicéa, l'érable ondé ou le buis qui constituent violons et violoncelles, l'ébène, le palissandre dans lesquels on sculpte les instruments à vent – car du tilleul, ce bois léger, on tire peu, seulement des touches de piano, recouvertes ensuite d'ivoire.

Pourtant, ce n'est pas du piano que me joue mon arbre.

Il pratique le quatuor à cordes.

Au moment où je m'adosse à son tronc, il hésite une minute puis, une fois certain que je suis installé pour quelques heures, il démarre, m'envoie un son compact, souple, crépitant. Attention, il fait de la musique d'arbre, invisible et inaudible. Ça ne bruisse pas dans l'air, ça n'entre pas par les oreilles, ça arrive directement à l'esprit.

De la musique télépathique.

Je n'ai d'abord pas su identifier les œuvres dont le tilleul me régalait car elles m'étaient inouïes.

Grâce au voyage à Copenhague, et parce que j'arpente désormais le continent du Grand Sourd, je viens de découvrir que l'arbre me joue les derniers quatuors de Beethoven depuis des années.

De 1823 jusqu'à sa mort en 1827, emmuré dans le silence et la solitude, Beethoven ne s'était plus consacré qu'à

(6) Quinzième Quatuor à cordes, troisième mouvement

ses quatuors, cinq œuvres où deux violons, un alto, un violoncelle explorent ses paysages intérieurs.

Est-ce parce que je l'entends sous l'arbre ? Il y a quelque chose de ligneux, de végétal, dans ce chant. Ça râpe comme une écorce ; les voix s'épousent, se tordent, se lient, se contournent telles des branches qui poussent de concert vers l'horizon ; la basse semble une racine serpentant au sol, lente, puissante, fondamentale, incorruptible. Ça ne s'envole jamais – un arbre saute-t-il ? –, ça tremble parfois – le vent dans les feuilles –, ça demeure terrien, terrestre. Cependant, à partir de ses attaches solides, ça devient plus aérien, ça plane, frondaisons en suspens.

Austères quatuors... Remisant sa palette symphonique, à mille lieux des gigantesques contrastes sonores, Beethoven renonce aux couleurs, à la variété des timbres, leurs oppositions, leur séduction. On a presque l'impression qu'il renonce aussi à la mélodie, qu'il y préfère de longues tenues de cordes, des frémissements, des attaques. C'est une méditation. Il se dépouille de ce qui charpentait son langage antérieur.

Il nous appelle au même dépouillement : « Cessez de lire des mélodies là où je n'en mets pas, n'anticipez plus sur les développements à venir, n'espérez pas de ma musique des grâces qui vaudraient dans un salon mais n'ont plus de pertinence contre un tronc, au milieu de nulle part. Laissez-vous porter par l'instant imprévisible et plein. »

Mon tilleul joue admirablement ces ultimes quatuors. À travers les rameaux, je regarde autant que j'écoute les nuances monochromatiques du ciel, les envols furtifs d'oiseaux, les fluctuations du climat et des sentiments. Je perçois l'épaisseur de la durée, je sens l'écorce me rentrer dans la peau, intense, présente, à l'instar du temps qui coule.

Quelque chose monte de l'abîme, s'extirpe du sol, jaillit des profondeurs. L'arbre ? La musique ? La vie ? L'être humain ? La conscience ? Tout cela sans doute. Je dois encore le découvrir.

Cet automne, j'ai constaté que je pourrais vieillir sous cet arbre qui interprète si bien Beethoven. Mieux : que j'aimerais y vieillir. Car, à mesure que j'y séjourne, des éclats de sens affleurent : la paix n'a rien à voir avec la tranquillité ; le tourment ne connaît pas de rémission ; la sagesse consiste à épouser l'existence telle qu'elle est. Quoi d'autre ?

Le tilleul en sait plus que moi. Beethoven aussi.

Ils peuvent me donner davantage que ce que j'attendais d'eux. Ils me désignent le chemin des années à venir.

Mon compagnonnage avec Beethoven, loin de s'achever, commence.

*

– Quand je pense que Beethoven est mort alors que tant de crétins vivent !

Mme Vo Tan Loc avait raison : plus que jamais, nous avons besoin de Beethoven.

Depuis son brusque retour dans mon existence, lors de l'exposition à Copenhague, je me considère son obligé car il m'aide à concevoir un humanisme moderne, un optimisme qui concilie sens du tragique et espoir en l'avenir.

Souvent, on résume la différence entre l'optimiste et le pessimiste par l'image d'un verre : quand un nectar remplit le cristal à cinquante pour cent, le pessimiste y voit un verre à moitié vide, l'optimiste un verre à moitié plein.

La métaphore me paraît juteuse.

Le pessimiste, jugeant le récipient à moitié vide, remarque ce qui n'est pas – le vide – plutôt que ce qui est – le plein. Nostalgique, passéiste, régressif, il pleure ce qui n'est plus – la quantité bue – au lieu d'apprécier ce qui est – la quantité à boire –, et ce qui sera – la volupté de la boire.

Quand le pessimiste ressasse ce qui lui est retiré, l'optimiste observe ce qui lui est promis. Appétit, plaisir et confiance définissent l'optimiste. Morosité, privations et plaintes affligent le pessimiste.

« Conquérir sa joie vaut mieux que de s'abandonner à la tristesse », notait Gide le 12 mai 1927 dans son *Journal*.

Qu'est-ce que la joie ? Une façon pleine, satisfaite, reconnaissante d'habiter l'existence.

Le joyeux ne manque de rien. Pourtant il n'a pas tout – qui possède tout ? En revanche, il se contente de ce qu'il a. Mieux : il s'en délecte.

Le joyeux n'éprouve pas de frustration. Alors

qu'au déçu, au déprimé, au mélancolique, au fatigué, tout fait défaut.

Si la tristesse est conscience d'une absence, la joie est conscience d'une présence. Quand la tristesse vise ce qui n'existe pas ou plus – chagrin d'avoir perdu quelqu'un, dégoût de se savoir faible, mortel, impuissant, limité –, la joie découle d'une plénitude. Elle crie notre plaisir d'être vivants, là, éblouis par ce qui nous entoure.

Se réjouir et jouir, telle s'avère la joie. Elle ne demande rien, elle ne déplore rien, elle ne se plaint de rien. Elle célèbre. Elle remercie. La joie est gratitude.

Quelle légèreté nous apporte la joie en nous délestant de ce qui nous alourdit, ambitions, regrets, remords, obsessions, amertumes, illusions, prétentions !

Notre époque ne goûte pas la joie. Elle préfère l'étourdissement et le divertissement, ces pratiques qui nous arrachent à l'ennui ou l'affliction. Dans le joyeux, elle ne voit qu'un abruti, jamais un sage.

Or, rappellent Beethoven et son frère philosophique Spinoza, il y a une sagesse de la joie. Heureux de vivre, non seulement je consens mais j'aime : je consens à ce qui existe et j'aime ce qui tombe sous mes sens. J'épouse et j'adore l'univers.

D'ailleurs, la joie ne serait-elle pas l'essence de l'expérience musicale ?

Lorsque j'écoute un air, je me rends disponible, je savoure ce qui arrive à mes oreilles, mon cerveau, mon cœur, je croque avec gourmandise l'instant vécu. Même sombre, la musique m'offre toujours une occasion de jouir puisqu'elle me remplit, m'exalte, me comble. Pas étonnant que le Grand Sourd ait conçu son *Hymne à la joie* comme son testament, le pic de sa création…

N'oublions pas que la joie, tout autant que la tristesse, se révèle contagieuse. Beethoven veut nous contaminer.

Quel intérêt à transmettre la tristesse ? À ces contemporains ou aux générations suivantes ? Cela relève soit de la vengeance, soit de la cruauté. La plupart des pessimistes deviennent schizoïdes : ils disent noir, ils agissent blanc ; ils syllogisent en pessimistes, ils vivent en optimistes. Pourquoi écrire, composer, peindre, fabriquer des enfants, les soigner, les instruire, bref pourquoi rajouter des êtres à l'être, si l'on ne croit qu'au néant et si l'on ne diagnostique dans l'existence qu'une convulsion avant la mort ?

Après plusieurs mois de cohabitation avec Beethoven, j'en suis venu à formuler ce qu'il m'a suggéré.

Il s'agit d'un credo.

Un credo humaniste.

Le credo de l'optimisme moderne

« *Je suis optimiste* parce que je trouve le monde féroce, injuste, indifférent.

Je suis optimiste parce que j'estime la vie trop courte, limitée, douloureuse.

Je suis optimiste parce que j'ai accompli le deuil de la connaissance et que je sais désormais que je ne saurai jamais.

Je suis optimiste parce que je remarque que tout équilibre est fragile, provisoire.

Je suis optimiste parce que je ne crois pas au progrès, plus exactement, je ne crois pas qu'il y ait un progrès automatique, nécessaire, inéluctable, un progrès sans moi, sans nous, sans notre volonté et notre sueur.

Je suis optimiste parce que je crains que le pire n'arrive et que je ferai tout pour l'éviter.

Je suis optimiste parce que c'est la seule proposition intelligente que l'absurde m'inspire.

Je suis optimiste parce que c'est l'unique action cohérente que le désespoir me souffle.

Oui, je suis optimiste parce que c'est un pari avantageux : si le destin me prouve que j'ai eu raison d'avoir confiance, j'aurai gagné ; et si le destin révèle mon erreur, je n'aurai rien perdu mais j'aurai eu une meilleure vie, plus utile, plus généreuse. »

*

– Quand je pense que Beethoven est mort alors que tant de crétins vivent.

Le message du Grand Sourd nous revient. Parce que nous l'avions oublié, ce qu'il nous dit résonne fort, nouveau, abrupt, surprenant, provocant. Il nous réveille.

Au fond, ce n'était pas lui le défunt, mais nous. Décès cérébral. Coma spirituel. Nous avions tué cette foi en l'humain qui fonde les nobles entreprises, l'exaltation volontaire, l'optimisme héroïque.

Je ne sais si Mme Vo Than Loc demeure toujours parmi nous ou si elle chante avec une chorale d'anges mais, où qu'elle soit, je voulais, par ces lignes, la remercier, et surtout l'informer de cette bonne nouvelle :

– Finalement, Beethoven n'est peut-être pas mort. Et je doute que les crétins vivent…

Messages envoyés par Beethoven

Elisabeth Schwarzkopf, Elsa Cavelti,
Ernst Haëfliger, Otto Edelmann
Chœur du Festival de Lucerne,
Philharmonia Orchestra,
direction Wilhelm Furtwängler – 25'30

4. *Fidelio op. 72*
Acte II : extrait du final : *« O Gott ! O welch ein Augenblick »* .... p. 56

Leonore : Birgit Nilsson, Florestan : Hans Hopf,
Don Pizarro : Paul Schöffler, Rocco :
Gottlob Frick, Marzelline : Ingeborg Wenglor
Chœur et Orchestre de la radio de Cologne,
direction Eric Kleiber – 7'28

5. *Concerto pour piano nº 4, en sol majeur op. 58* .... p. 85

2e mouvement : *Andante con moto*
Paul Badura-Skoda (piano),
Orchestre de l'Opéra de Vienne,
direction Hermann Scherchen – 5'05

3e mouvement : *Canzone di ringraziamento, Molto adagio* : « Heiliger Dankgesang eines Genesenen an die Gottheit, in der lydischen Tonart » (*Chant d'action de grâces sacrée d'un convalescent à la Divinité, sur le mode lydien)*
Hollywood String Quartet – 15'50

Kiki van Beethoven

Kiki van Beethoven fut écrite plusieurs mois avant *Quand je pense que Beethoven est mort alors que tant de crétins vivent*... Par la fiction, elle exprime ce que l'essai dit, lui, sous une forme conceptuelle. Cette comédie-monologue a été créée le 21 septembre 2010, au théâtre La Bruyère, dans une mise en scène de Christophe Lindon, interprétée par Danièle Lebrun.

Malgré la différence de genre, j'ai préféré coupler la pièce et la réflexion dans le même volume comme un hommage à la source, la figure exigeante, survoltée, humaniste de Ludwig van Beethoven.

Tout a commencé dans une brocante lorsque je me suis trouvée face à un masque de Beethoven. Les badauds circulaient sans le voir, leurs yeux glissaient sur lui, moi-même j'avais failli le manquer.

Je me suis approchée et là, en le contemplant, m'est apparu l'inimaginable, l'invraisemblable, le scandale. Comment était-ce possible ? Que s'était-il donc passé ?

Pour vérifier, j'ai acheté le masque. Deuxième mauvaise surprise : il ne coûtait rien.

– Cela fait longtemps que vous le proposez à la vente ? demandai-je au marchand.

Il l'ignorait : troisième consternation.

Sans attendre, je suis rentrée à la résidence où j'ai convoqué les copines chez moi pour le thé.

– Regardez.

Le masque de Beethoven trônait au centre de ma table ronde.

Candie, dont la première caractéristique est d'être bronzée à l'année, orange en hiver, caramel au printemps, hareng fumé à partir de juillet, s'est étonnée :

– Qu'il est pâle…

Zoé l'a effleuré de ses doigts charnus, sans oser le toucher vraiment. Je l'ai encouragée :

– C'est un masque, tu sais, il ne se rendra pas compte que tu le caresses…

– Dommage, murmura Zoé, qui a toujours besoin qu'on l'aime et qui, du coup, retira sa main.

Rachel releva le menton, le pointa vers moi et demanda d'un ton sec :

– Pourquoi nous amènes-tu ça ?

– « Ça » ! Je t'en prie, un peu de respect. « Ça », comme tu dis, c'est un masque de Beethoven.

– Je sais bien que c'est un masque de Beethoven : ma grand-mère possédait son jumeau ! Pourquoi nous l'apportes-tu pour le thé avec l'air d'annoncer un événement exceptionnel ? Tu ne prétends pas avoir inventé les masques de Beethoven, j'espère ? Dans mon enfance, il y en avait partout ; les pauvres, faute de piano, se contentaient souvent d'un masque de Beethoven.

– Prêtez-lui plus d'attention, répondis-je, penchez-vous au-dessus de lui et fixez-le.

Elles m'obéirent, pointèrent leur visage sur le masque.

– Alors, entendez-vous quelque chose ?

Candie a pris un air contrarié, Zoé a tripoté son sonotone, Rachel a froncé les sourcils en se raclant la gorge.

– Concentrez-vous mieux, les filles ! Vous entendez quelque chose, oui ou non ?

Nuque figée, lèvres serrées, elles ont dirigé leurs oreilles vers l'objet. Zoé a recalé son appareil dans son conduit auditif en soupirant à fendre l'âme. Rachel a opéré un mouvement panoramique de l'œil gauche, comme si elle suivait un moustique au son, puis est revenue au masque. Candie a avoué :

– Je n'entends rien.

– Moi non plus, ajouta Rachel.

– Oh, vous me rassurez, glapit Zoé, je croyais que j'étais la seule.

Rachel m'a scrutée sans amabilité.

– Et toi ma chère, entends-tu quelque chose ?

– Pas un son.

Nous nous étions comprises. Un évènement énorme, étonnant, venait de se produire et nous étions assez vieilles, assez lucides pour nous en rendre compte.

Dans mon enfance, les masques de Beethoven faisaient de la musique. Il suffisait de les observer pour entendre des mélodies sublimes, bouleversantes ; auprès d'eux surgissait toujours un orchestre symphonique qui entonnait un hymne, des violons qui s'enflammaient, un piano qui jouait avec passion... Quand il y avait un masque de Beethoven quelque part, la musique s'élevait dans la pièce.

– Avant, chez mes parents, dit Candie, le buste de Beethoven sur la tablette de marbre, à côté de la cheminée, je l'écoutais. Mieux qu'une radio.

– Mon professeur en arborait un sur son piano à queue, dis-je à mon tour. Magnifique, ce buste, très encourageant : quand mes doigts se perdaient dans les touches, son regard me poussait à exprimer mes sentiments. En revanche, il y avait un autre buste qui ne m'aidait pas, c'était celui de Bach.

– Ah, terribles, les bustes de Bach, terrorisants ! confirma Rachel. Mon père avait planté un Bach à côté du métronome : il me surveillait d'un air sévère, le Bach, avec sa perruque de procureur, il me jugeait, il me condamnait, il comptabilisait mes fausses notes. Beethoven par contre...

– C'était un homme, un vrai, précisa Candie. Viril.

– Et puis il avait l'air de continuellement souffrir, murmura Zoé.

– Faut le reconnaître, concéda Rachel, c'était beau, cette musique et ces sentiments qu'il provoquait.

– Alors les filles, m'exclamais-je, pourquoi n'entendons-nous plus rien ? Pourquoi les figures de Beethoven sont-elles devenues muettes ? Que s'est-il passé ?

Toutes les quatre nous avons considéré le masque de Beethoven qui, justement, se taisait. C'était violent, ce silence, incisif, insultant.

– Qui a changé ? Lui ? Nous ?

Après un silence, Rachel qui n'avait jamais peur d'asséner un commentaire désagréable grommela :

– Nous, évidemment.

– Alors que nous est-il arrivé ? Comment avons-nous pu accomplir ce chemin sans nous en rendre compte ? Un désenchantement pareil, ça devrait se remarquer, non ?

– Je vais y réfléchir, Kiki, dit Candie.

– Moi aussi, assura Zoé.

– Pourquoi pas ? fit Rachel en haussant les épaules.

Voilà, dès le premier symptôme, nous nous sommes juré d'enquêter pour guérir

Pour ma part, ces promesses – genre « lundi j'entame un régime » ou « à la rentrée, j'apprends le chinois » –, je ne mords plus leur hameçon. Sans tarder, j'ai entrepris une cure de Beethoven :

j'ai acheté une boîte de ses enregistrements et j'ai commencé à me soigner le jour même.

C'était tout simplement insupportable.

Au début, j'ai cru que ça venait de mon appartement. Dès qu'un morceau débutait, j'étouffais, j'avais envie de sortir, je m'inventais des courses urgentes, sinon je me jetais sur le téléphone, moi qui déteste cet engin, prête à appeler n'importe qui, tiens pourquoi pas ma belle-fille – c'est dire ! – et à me cramponner à la conversation. Pourtant, je me suis raisonnée, je me suis astreinte à rester assise sur mon fauteuil préféré, celui sur lequel d'ordinaire j'étincelle aux mots croisés. Résultat : après quelques mesures de Beethoven, le sol tanguait, les murs valdinguaient, je perdais l'équilibre. À devenir folle. Ça n'arrivait qu'avec Beethoven ; si je mettais une autre musique, un tango, une chanson de crooner à la voix en sucre glace, les cloisons ne bougeaient pas, les rayonnages restaient stables, le plancher résistait ; sitôt que se jouait du Beethoven, hop, tournez manège, avis de tempête ! J'en ai conclu que j'habitais un appartement allergique à Beethoven.

Qu'à cela ne tienne ! Pas loin de notre immeuble, un jardin public, moitié herbe, moitié béton, reçoit les jeunes qui viennent des immeubles de la cité Youri Gagarine, de l'autre côté du périphérique ; près de la porte nord, ils s'entraînent au hip-hop. Je leur ai demandé où ils achetaient leurs appareils à musique, ces gros machins chromés qui s'alimentent de piles, je m'en suis payé un, qui ressemble à un bulldog, les haut-parleurs comme des bajoues, les boutons comme des mirettes, je l'ai appelé Ralf, et je suis partie dans Paris avec Ralf et Beethoven.

J'écoutais partout. Même dans le métro en attendant la rame. Cependant, j'ai rapidement préféré les endroits plus calmes, les parcs, les rues piétonnes, les parkings, des lieux où je pouvais percevoir les nuances, *pianissimo* autant que *triple forte*. Vous allez me dire que j'aurais pu mettre un casque, des oreillettes, me montrer discrète ; seulement voilà, la discrétion, ça n'a jamais été ma tenue préférée ; et puis c'était politique, sociologique, journalistique, enfin ce que vous voulez : j'investiguais pour savoir si les autres étaient aussi devenus sourds à Beethoven.

Ce que je découvris était pire : assise sur un banc avec Ralf qui gueulait la *Cinquième Symphonie*, je faisais le vide, les gens prenaient peur, ils s'enfuyaient à toutes jambes. Certes, Ralf a des allures de molosse, et je reconnais que moi-même je n'ai pas toujours l'air engageant, mais de là à vidanger les lieux publics… Non, c'était Beethoven qui les repoussait.

Un jour, un homme d'une quarantaine d'années – l'âge qu'aurait eu mon fils – s'immobilisa, lui, puis s'enfila les quatre mouvements d'une symphonie. Après l'accord final, il a cherché quelque chose dans sa poche.

– Madame, où est votre écuelle ?

– Mon écuelle ?

– Votre sébile ? L'endroit où je dépose l'argent ? s'enquit-il tendant des pièces de monnaie.

– Je ne mendie pas. J'écoute Beethoven, point. C'est gratuit.

– Ah...

– Vaut mieux d'ailleurs, parce que tout le monde décampe. Vous comprenez ça, vous ?

– Normal. La beauté, c'est intolérable.

Il avait énoncé cela comme une évidence. Il poursuivit :

– Si l'on veut mener une vie ordinaire, mieux vaut se tenir à l'écart de la beauté ; sinon, par contraste, on aperçoit sa médiocrité, on mesure sa nullité. Écouter du Beethoven, c'est chausser les sandales d'un génie et se rendre compte qu'on n'a pas la même pointure.

– Alors pourquoi vous êtes-vous arrêté ?

– Par masochisme. Je ne m'aime pas mais j'éprouve un certain plaisir à ne pas m'aimer. Et vous, madame, comment parvenez-vous à endurer du Beethoven ?

– Je n'y arrive pas. Pour moi aussi, c'est insupportable. Je me souviens pourtant d'un temps où je trouvais ce tintamarre magnifique.

– Nostalgie, murmura-t-il en se retirant.

Nostalgie ? Non. Colère. Dépit. Haine. Écouter une musique quarante ans, cinquante ans après la première fois, c'est plus cruel que de se dévisager dans un miroir à côté d'une photo de jeunesse : on mesure à quel point on a changé, mais intérieurement. J'étais devenue une vieille bique sèche, racornie ; je ne vibrais plus à la *Sonate au clair de lune*, je ne pleurais plus à la *Pathétique*, la *Symphonie Héroïque* ne m'exaltait plus, je ne dansais plus sur la *Symphonie Pastorale* ; quant à la *Neuvième Symphonie* dont l'*Hymne à la joie* me semblait autrefois capable de réveiller les morts et de soulever un tétraplégique, elle m'apparaissait comme du vacarme, un barnum, un slogan européen, un épouvantable et grotesque cirque sonore.

Oui, à mesure que je me prescrivais du Beethoven, ma fureur augmentait.

– Dis la vieille, tu peux la baisser ta musique d'église ?

Un jeune danseur, avec un polo trois fois trop large pour lui et un pantalon qui tenait par miracle au bas de ses fesses, s'était planté devant nous, alors que nous siégions – Ralf, Beethoven et moi – sur un banc du parc.

– C'n'est pas de la musique d'église, crétin, c'est *Fidelio*[1].

– Connais pas.

– Assieds-toi et ouvre tes oreilles.

– Ça ne va pas, non ?

– Pourquoi ? La bonne musique, ça va te

1. *Fidelio op. 72*, Acte 1 : « *Mir ist so wunderbar.* »

salir ? C'est comme un glaviot ? Je te crache dessus avec mon Beethoven ? En fait, t'as peur d'apprécier !

– Oh, ne m'agressez pas !

– Ignorant, inculte et heureux de l'être. Allez circule. On écrira sur ta tombe « Toute sa vie, il s'est trémoussé en s'assourdissant avec une musique à la con. »

– Et toi, qu'est-ce qu'on marquera sur la tienne ? « Elle détestait les jeunes » ?

Il s'est enfui avant que je ne lui réponde. Il avait tort de se presser, son reproche m'avait laissée sans voix. Quelle sera mon épitaphe ? Quel a été le sens de ma vie ?

Contagieux, ce genre de questions... Ce soir-là, en prenant l'apéritif avec les copines, j'ai fixé chacune d'entre elles en imaginant ça... J'ai regardé Zoé qui s'envoyait des gâteaux au fond de la bouche et j'ai inscrit mentalement sur son marbre : « Désormais, elle repose en paix car elle n'a plus faim. » J'ai regardé Candie, cheveux blond poussin, peau rissolée, ses vêtements cousus sur le corps, qui évoquait les hommes récents qu'elle avait séduits, ceux qu'elle comptait encore conquérir, et j'ai inscrit : « Enfin froide. » J'ai regardé Rachel, dédaigneuse, snob, qui, sous son masque silencieux, estimait que ni la conversation ni les gâteaux ni le thé n'avaient le niveau requis, et j'ai inscrit : « Enfin seule. »

– Et toi ?

– Quoi moi ?

– Tu ne dis rien, s'enquit Rachel. C'est rare que tu ne dises rien.

– Qu'arrive-t-il à notre grande gueule nationale ? s'exclama Candie.

– Moi, j'ai toujours dit qu'une Kiki qui se tait, c'est une Kiki morte, confirma Zoé.

Voilà, grâce à mes excellentes copines, j'obtins ma réponse : j'inscrivis donc sur ma pierre : « Enfin muette. »

Quelques jours plus tard, je me tenais à ma place, sur mon banc, avec Ralf, essayant de m'infliger du Beethoven. Faut préciser que je ne rate pas une occasion de quitter la résidence, notre immeuble. Chaque retraité y occupe un minuscule appartement indépendant, avec sa salle de bains et sa cuisine ; nous partageons une salle de jeux – les cartes –, une salle de gymnastique – vide –, et deux infirmières qui veillent sur nous : en gros, elles nous soignent tant que nous tenons debout puis elles relouent l'appartement sitôt que l'un de nous crève. Cela s'appelle « La Résidence des Lilas », ce qui est cruel pour cette jolie fleur qui ne mérite pas qu'on l'associe à des vieilles peaux. Si l'on avait voulu rester dans la métaphore végétale, on aurait dû la baptiser « Résidence des sarments de vigne » ou « Résidence des souches ». Personnellement, je la nomme « Les Osselets », mais ça ne fait rire personne. Même pas moi d'ailleurs.

Une maison de vieux, c'est comme une maison d'adolescents. Pareil ! On vit entre copains et copines ; on appartient à une bande, on déteste les autres groupes, on critique les solitaires ; on pense au sexe mais on le pratique moins qu'on en parle ; et on agit en cachette de la famille. Unique différence, les parents ne sont plus nos aînés mais nos enfants, voire nos petits-enfants, qui nous surveillent et qui nous grondent. Quelle dégringolade ! Ils sont devenus aussi sérieux et chiants que nos pères ou nos mères autrefois. « Alimente-toi correctement, prends tes médicaments, va à la gymnastique, évite les sports violents, entraîne tes neurones avec des exercices de mémoire… » Quels bonnets de nuit !

Alors je fugue. Oh, pas très longtemps, quelques heures l'après-midi, car je me fatigue vite. Avec les moufflettes de quatorze ans, je déambule dans les grands magasins, j'essaie les robes, j'hésite devant les sous-vêtements, j'explore exhaustivement le rayon parfumerie. D'autres fois, j'ai rendez-vous avec ma bande, Candie, Zoé, Rachel ; on s'installe dans un café pour manger une glace et dauber sur les gens pendant des heures. C'est l'autre point commun avec l'adolescence : on trouve que les adultes sont cons, oui, tous cons sauf nous. Sans doute parce qu'on ne travaille pas, on a besoin de se moquer de ceux qui le font.

À la Résidence des Lilas, je suis la plus acharnée à sortir. D'autant que je n'ai pas de comptes à rendre à des parents vu que je n'en ai plus ; enfin si, ma belle-fille, Eléonore, mais nos rapports sont devenus si froids qu'à cette température-là, logiquement, il n'y a plus de vie possible.

Bref, j'étais sur mon banc avec Beethoven quand...

– Eh, Mamie, tu la mets en sourdine, ta musique de mariage.

C'était lui, le danseur black au pantalon miraculeusement accroché.

– Abruti, c'est le *Cinquième Concerto pour piano* de Beethoven.

– Dis, pourquoi tu me traites d'abruti ? Je ne t'ai pas manqué de respect, moi.

– Mamie, c'est respectueux ?

– T'as pas vingt ans, c'est visible.

– Et toi, tu n'as pas cent quatre-vingts de quotient intellectuel, c'est visible aussi.

Il m'a inspectée longuement, en silence, comme s'il se tenait au zoo devant la cage d'un animal exotique.

– T'es mariée ? demanda-t-il.

– Pourquoi ? Tu es libre ? Tu cherches quelqu'un ?

Il éclata de rire. Il me considérait comme son nouveau jouet, un truc bizarre, plutôt rigolo. Il commençait à me gonfler sérieusement le coquelicot.

– Tu t'appelles comment, madame ?

– T'es de la police ou quoi ? Tu veux que je te signe un bail pour m'asseoir sur ce banc ? Il est à toi ?

– T'énerve pas. J'essaie juste de piger d'où tu viens.

– Beethoven. Je m'appelle Beethoven.

J'avais répondu n'importe quoi, ce qui me traversait le chignon. Il approuva gravement, vint s'asseoir à côté de moi et déchiffra les pochettes de mes disques sur le banc.

– OK, c'est la musique de ton mec ! Je comprends mieux...

– Tu comprends quoi ?

– Pourquoi tu as l'air si perdue, minuscule, là, sur ton banc, avec ton appareil sur les genoux. Ton Beethoven, il est mort, tu es veuve, il te manque. C'est ça ?

Pourquoi ai-je eu immédiatement les larmes aux yeux ? J'étais pourtant vexée de dégager une aura pathétique, une tristesse qui m'avait échappé, pas à lui.

– Tu n'es peut-être pas si con, finalement.
– Et toi pas si vieille.
Boubacar a pris un disque au hasard, je l'ai mis dans la gueule de Ralf, et nous avons écouté le dernier quatuor, opus 135. Allez savoir pourquoi, ça m'a plu. Vraiment ! Comme avant ! Était-ce d'avoir Boubacar à mes côtés qui découvrait cette musique, étonné, attentif, sa belle bouche charnue entrouverte, ses longues mains caressant le bois du banc, ses oreilles vierges ? Ou bien étaient-ce ses mots qui faisaient de moi une malheureuse n'arrivant pas à mener son deuil ?

Peu de temps après, nous sommes partis en excursion, Candie, Zoé, Rachel et moi. Nous avons adhéré à un club qui nous propose des activités variées, depuis le cours de valse jusqu'au stage de yoga ; nous avons pris l'habitude de participer à certains des voyages sélectionnés par le dépliant. Cette année, c'était Candie qui décidait pour nous quatre. Au mois de février, on nous avait soumis « Les châteaux de la Loire », au mois de mars « Les plages de Saint-Tropez », au mois d'avril « Les villas de Toscane » et au mois de mai « Le camp d'Auschwitz ». Candie, parce que nous avions déjà visité les châteaux de la Loire et qu'elle n'était pas libre en mars et en avril, nous a inscrites pour « Le camp d'Auschwitz ». À mon avis, elle avait lu « camping » au lieu de « camp ».

Et nous voilà déambulant au milieu des pires souvenirs que s'est fabriqués l'humanité. Le bizarre, à Auschwitz, c'est que c'est du provisoire, du bâtiment mal construit, du pavillon monté à la va-vite, des murs épais comme du papier, des toitures bonnes à partir avec le vent, et que pourtant ça dure, que ça tiendra peut-être encore des siècles ! J'avais le frisson : je me disais que la mort, c'est du solide, du définitif, mais que le village d'extermination qui y conduit, c'est du branlant, du bricolé. Pourtant, ça avait été efficace : ces cabanons avaient emprisonné des milliers de gens capturés sans procès ; la chambre à gaz de carton-pâte les avait assassinés en quantité industrielle. Ensuite, ce qui m'a accablée, en cette plaine d'Auschwitz, c'était le silence. Le silence racontait tout, le silence rappelait l'absence des êtres, le silence absorbait les voix de ces enfants qui ne devinrent pas adultes, le silence étouffait la souffrance des mères, l'impuissance des pères. J'avançais, la tête déchirée par le silence.

Nous trois, nous gardions un œil sur Rachel, car nous savions qu'une partie de sa famille avait péri ici.

Rachel se comportait de façon invraisemblable. Dans son tailleur noir, impeccable, le chignon parfait, l'œil maquillé, elle marchait devant nous avec fermeté, aisance, désinvolture, telle une châtelaine parcourant son domaine. Jamais une grimace, ni un geste d'émotion. Quand nous sommes arrivées dans la partie

« mémorial », où sont détaillés les noms des victimes juives, elle nous a désigné avec calme ses grands-oncles et ses grands-tantes. Il y avait aussi une Rachel Rosenberg, une cousine morte à cinq ans, qui portait exactement le même nom qu'elle.

Lorsqu'on a traversé le bâtiment où sont stockés les milliers de chaussures appartenant aux disparus, Candie s'est arrêtée devant des chaussons roses, en soie, taille fillette, avec une agrafe dorée.

– Tu te rends compte, Rachel, j'avais des chaussons identiques ! Pareils ! Tu te rends compte, si j'avais été juive...

Candie a fondu en larmes parce que, pour elle, ces chaussons, des chaussons qu'elle avait autrefois convoités, portés et adorés, témoignaient de l'innocence des enfants tués. Rachel l'a reçue dans ses bras et l'a consolée.

Moi, je n'en menais pas large non plus.

Aucun objet ne porte plus l'empreinte d'un mort que ses chaussures, non ? J'avais l'impression de pénétrer un charnier où s'entassaient des milliers de cadavres en décomposition. Quant à Zoé, elle s'était enfermée dehors, entre deux allées, sans bouger, les yeux levés vers le ciel gris, en piochant énergiquement dans une boîte de bretzels.

Au retour en bus, Rachel a craqué. Elle a pleuré, lentement, doucement, presque calmement, contre mon épaule, en murmurant de temps en temps : « Pourquoi ? »

Le soir, à l'hôtel, Rachel est entrée dans ma chambre. Elle avait retrouvé ses traits, sa prestance, sa superbe et elle m'a demandé, à peine le seuil franchi :

– Sors-moi Beethoven. Je sais que tu l'as emmené.

C'était lancé d'un ton qui fait obéir, même moi.

De ma valise, j'ai extrait le masque de Beethoven. Elle l'a saisi et s'est assise sur mon lit en l'examinant, posé sur ses genoux.

Là, je me doutais de ce qui allait arriver. Elle allait me dire qu'elle ne pouvait plus croire en Beethoven après Hitler. Logique : tous ces nazis glorifiaient Beethoven et vénéraient Wagner. En ce temps-là, les bourreaux se délectaient au concert, à l'opéra, puis retournaient ensuite à leur boulot, l'élimination des Juifs. La culture, ça n'empêche pas la barbarie ; mieux, ça permet d'ignorer sa barbarie, comme un parfum dissimule la puanteur... Donc, pour des gens comme Rachel, Beethoven ça sent le gaz. Pourtant, Beethoven, il n'y était pour rien : il était mort depuis longtemps quand les nazis ont pris le pouvoir. Mais ça, c'est un argument rationnel et le rationnel, quand il y a trop de sang et de souffrance, ça ne fonctionne plus. C'est comme moi avec les spaghettis carbonara... Mon premier fiancé m'a annoncé un soir qu'il me quittait au-dessus d'un plat de spaghetti carbonara. Voilà, c'était foutu à vie : les spaghettis carbonara ont un goût de rupture !

Bon, je sais, entre le massacre de plusieurs millions de personnes et moi, à vingt ans, plutôt bien gaulée, qui suis larguée par un abruti, il n'y a pas de commune mesure ! Je rappelle ça pour expliquer que j'étais prête à recevoir les insultes que Rachel allait me débiter contre Beethoven.

Or c'est le contraire qui arriva. En contemplant le masque, ses yeux se mouillèrent lentement de larmes.

– Tu entends ?

– Quoi Rachel ?

– Tu entends comme c'est doux[2] ? C'est fort parce que c'est doux. C'est fort parce que c'est lent

2. *Symphonie n° 7 en la majeur op. 92,* 2e mouvement : *Allegretto.*

et doux. On perçoit la beauté du courage, cet espoir qui vient de loin, qui revient de la mort, qui quitte l'horreur, qui remonte du néant. Il insiste, le courage, il avance, opiniâtre. Observe le visage de Beethoven, ma Poulette : il sait qu'il n'est qu'un homme, il sait qu'il va mourir, il sait que son ouïe baisse, il sait qu'on ne sort jamais vainqueur du combat de la vie, et pourtant il continue. Il compose. Il crée. Jusqu'au bout. C'est comme cela qu'ont agi les membres de ma famille après le drame. L'héroïsme ne consistait pas à se venger mais à gagner heure par heure, jour après jour, la force de vivre. Pourquoi moi ? Pourquoi ai-je survécu ? Tu ne le comprends pas, tu ne le comprendras jamais. Or tu continues. Tu le dois. C'est ça, le courage. L'entêtement, l'obstination à progresser dans l'obscurité, l'espoir qu'il y a de la lumière au bout. Et tu fais des enfants, et tu les aimes. Et ils te font des petits-enfants ; et tu les aimes. Même si, comme moi, tu n'es pas douée pour aimer. Tu entends le masque ? Poulette ?

– Mum.

– Écoute.

Elle me fixa et, dans ses yeux verts écarquillés, je perçus un écho de Beethoven.

– Je suis surprise, Rachel. En sortant du camp je me suis imaginé que c'était à cause de cette guerre, de la Shoah, de ces millions de morts et de ces millions d'assassins, que le masque de Beethoven s'était tu.

– Regarde-le, il ne se tait pas du tout, Poulette, il se réveille au moment où tu te persuades qu'il est en plâtre, il s'anime quand on juge la vie finie.

Rachel porta les mains à ses oreilles, éblouie, assourdie, et je ne savais si ses paumes recroquevillées sur ses lobes voulaient la protéger des sons ou les conserver en elle.

– Je l'entends comme avant, mieux qu'avant, parce que je suis venue ici, parce que j'ai marché dans notre passé horrible. Jusqu'à hier, je fuyais, je contournais le choc. C'était ça, Poulette, qui rendait muets les masques de Beethoven. On se protège du tragique, on ne veut pas savoir, on préfère oublier. En ne prenant pas la mesure de la souffrance, on perd aussi la mesure du courage. Parce qu'on évite le silence, on n'entend plus la musique qui renaît du silence.

Nous sommes revenues ravies de notre voyage à Auschwitz, oui, ravies, aussi étrange que les mots sonnent. Les jours suivants, j'ai récupéré mon banc, et j'ai éprouvé moins de déplaisir avec Beethoven. Je me sentais vivante, enfin en partie. Rachel avait raison : à force d'écarter ce qui nous terrorise, nous nous anesthésions ; cependant, je restais encore incapable d'obéir au conseil de Rachel, aller au rendez-vous de mes souffrances.

Mon frère est passé me voir. Les copines lui avaient indiqué qu'il me joindrait au square, avec Ralf, Beethoven et Boubacar.

– Alors ma pauvre Christine, que deviens-tu ?

– « Ma pauvre Christine ! » J'hallucine.

Albert me rend toujours visite pour que j'admire ses nouvelles acquisitions : maîtresse, voiture, appartement, maison de campagne. Il a beau savoir que je le tiens en piètre estime, à soixante-dix ans révolus il ne s'y résout pas et cherche encore à m'épater.

– Tu me parais bien sûr de toi, Albert. Qu'as-tu acheté qui doit, cette fois-ci, m'en boucher un coin ? Un train, un paquebot, un tank ?

– Un Picasso.

– Merde.

– Ah, quand même ! Merci.

– Un Picasso entier ?

– Oui, une toile de deux mètres cinquante sur trois, datant de 1921. Une bonne période.

– Tu as gagné, lui dis-je. Montre-moi ton Picasso.

– Ah non, Christine, tu rêves ! Je l'ai mis à la

banque. Un investissement pareil, je ne prends pas le risque de l'offrir aux voleurs.

J'ai éclaté de rire, rassurée. Quoiqu'on n'ait pas le droit de boucler un Picasso dans un coffre parce qu'un Picasso faut que ça respire, faut que ça soit vu, j'étais satisfaite de constater qu'Albert restait taré. Eh oui, je suis comme ça, j'ai besoin de repères stables : le nord, le sud, les fraises au printemps, les pommes à l'automne… et la stupidité de mon frère.

Il a poussé Boubacar au bout du banc, comme si celui-ci n'existait pas, a consulté mes disques pour essayer d'engager la conversation et s'est exclamé soudain :

– Au sujet de Beethoven, tu la connais celle-ci ? Il paraît que Beethoven était tellement sourd qu'il a cru toute sa vie qu'il faisait de la peinture.

Puis il s'est mis à suffoquer, enchanté par sa plaisanterie.

Quand il s'est calmé, je lui ai demandé poliment :

– Dis-moi, toi qui es avocat et qui diriges un cabinet d'avocats : est-ce un cas fréquent, le meurtre pour offense à l'intelligence ? Un homme en tue un autre parce qu'il le trouve insupportablement idiot ?

Il cogita et me répondit avec sérieux :

– Bien que je ne sois pas pénaliste, à ma connaissance, personne n'a jamais ôté une vie pour supprimer un con.

– Jamais ? C'est désespérant, non ?

Cette fois-ci, Boubacar se tordait de rire, ce qui était plus agréable à reluquer que mon frère, parce que ça montrait son ventre plat, contracté par la joie, musclé, doux et sans graisse.

Le lendemain, alors que j'expliquais ma recette de veau marengo à Rachel, j'en profitai pour lui demander de me rendre mon masque de Beethoven qu'elle avait conservé depuis Auschwitz.

– Désolée, ma grande, je l'ai confié à Zoé.

– Zoé ?

– Elle m'a suppliée de le lui prêter.

– Zoé ?

– J'ai eu tort ? Je n'aurais pas dû ?

– Zoé...

J'avais noté que Zoé changeait, ses derniers temps, mais quand je la surpris souriante, en extase, devant le masque de Beethoven posé sur sa télévision éteinte, je compris que la métamorphose s'était produite.

– Zoé, tu ne vas pas me dire que...

– Si ! Je reçois de la musique lorsque je le regarde.

Je m'approchai du masque, jetai un coup d'œil aux joues blêmes, aux yeux clos, aux lèvres muettes.

– Il te joue un morceau ?

– Oui.

– Là, en ce moment ?

– Oh oui.

– Quoi ?

– La *Sonate Pathétique*[3]. Tu ne l'entends pas ?

Je me suis sentie soudain très malheureuse, un goût amer dans la bouche. Rachel puis Zoé… C'était moi qui l'avais découvert, ce masque ! Et qui l'avais présenté à tout le monde !

Zoé a perçu que j'étais blessée, a adressé un petit clin d'œil familier à Beethoven, genre « Arrête-toi donc une seconde, je m'occupe d'elle avant de te revenir », m'a saisi la main.

– Viens.

Elle m'a emmenée dans le hall de l'immeuble et m'a engagée à m'asseoir sur une banquette, devant les boîtes aux lettres, entre les plantes vertes et la fontaine japonaise en galets.

– Ma Kiki, je ne sais pas par quel bout prendre l'histoire.

---

3. *Sonate pour piano nº 8 en do mineur op. 13* dite *Grande Sonate pathétique pour piano*, 2e mouvement : *Adagio cantabile.*

– Commence par le début puisque la fin, je la connais : le masque te joue de la musique.

– Voilà, ça a débuté lorsque je me suis rendu compte que j'avais plein de points communs avec Beethoven.

Là, j'ai failli dire : « Pourquoi, il était obèse ? » *In extremis*, j'ai senti qu'il valait mieux me retenir.

– Oui, oui, ma Kiki, Beethoven et moi, nous partageons des soucis identiques. D'abord il est devenu sourd. Ensuite, il n'a pas été heureux en amour.

– Excuse-moi, Zoé, mais pour toi c'est moins grave d'être sourde que pour lui : tu ne composes pas de musique.

– D'accord mais c'est plus grave pour moi d'être malheureuse en amour.

– Ah bon, pourquoi ?

– Parce que je ne compose pas de musique. Moi, l'amour, je ne possède que ce terrain-là pour vivre, pour m'accomplir, pour m'exprimer.

Quand tu n'as de talent pour rien, faut espérer que tu en aies pour l'existence ! Moi, aucun. J'ai multiplié les fiascos.

– Allons ! Tu t'es mariée trois fois.

– Divorcée trois fois.

– Tu as vécu quelques belles histoires…

– Celles que j'ai imaginées, seulement celles que j'ai imaginées.

Sur ce point, je n'insistai pas car Zoé, c'est notoire, est douée pour tomber amoureuse d'hommes qui ne la remarquent pas. S'il y a un célibataire qui se moque des femmes, Zoé va s'en amouracher. S'il y a un individu qui ne pense qu'à son travail, son argent ou son avenir, Zoé va lui envoyer des fleurs. S'il y a un mâle allergique au flirt, Zoé lui offre un verre. Un flair infaillible. En soixante ans, elle a même réussi à nous dégoter les deux ou trois bipèdes de la planète absolument fidèles à leurs épouses, alors que j'étais persuadée que ça n'existait pas. Ça relève du génie, de se tromper avec tant de sûreté. Depuis l'école primaire, je ne l'ai vue rêver que sur des hommes hors de portée. Des trois qu'elle a épousés, le premier la battait, le deuxième buvait, le troisième s'est enfui avec le facteur.

– Tiens, murmura Zoé, le voilà !

Raoul de Gigondas traversait le hall. Raoul de Gigondas ! L'unique mâle décoratif qui loge à la Résidence des Lilas... Personnellement, je l'ai surnommé « Zéro Fautes » tant il collectionne les qualités qu'exige une femme d'un homme : beau, propre, veuf, poli, doté de conversation, habillé avec goût, sentant merveilleusement bon et adorant sortir le soir au spectacle. En réalité, il est si parfait que nous en avons toutes peur, Candie aussi.

– Non ce n'est pas vrai, Zoé, tu es arrivée à mettre le grappin sur Zéro Fautes ?

– Regarde, me dit-elle en souriant.

Raoul de Gigondas s'est dirigé vers les boîtes aux lettres, a ouvert la sienne, en a tiré une carte postale. Sans attendre, il l'a déchiffrée.

Ému, appuyé contre le mur, Zéro Fautes lisait et relisait la lettre, prononçant les mots discrètement sur ses lèvres, comme pour entrer dans un rapport intime avec elle. Il irradiait de joie.

– C'est moi qui lui ai écrit, murmura Zoé.

Maintenant il devait savoir la carte par cœur.

– Alors là, Zoé, bravo ! Tu es géniale !

En soupirant, il a glissé le message dans sa veste, au plus près de sa peau, puis il s'est approché de nous et... il est sorti.

– Mais... mais... Zoé... il ne t'a pas parlé !

– Viens, roucoula Zoé, je vais t'expliquer ça auprès de Beethoven.

De retour à l'appartement, elle avisa le masque, sembla entendre de nouveau quelques mesures de la *Pathétique*, puis raconta :

– Beethoven n'a jamais connu l'amour partagé. Pourtant, il avait la religion de l'amour. Il a même intitulé une œuvre « à la bien-aimée lointaine »... Alors, j'ai médité : ce qui est important, c'est de faire exister l'amour, pas d'être heureux en amour. Raoul de Gigondas, je l'aime et je lui apporte les bienfaits de l'amour mais il ignore que c'est moi. Mes lettres, je les signe « La Lointaine », il n'en sait pas plus. À chacun de mes courriers, il vit un moment merveilleux qui l'arrache à son deuil, à sa solitude, à la vieillesse. Jamais, il n'aura l'idée que « La Lointaine » habite son immeuble, il présume que la femme mystérieuse qui l'admire, l'encourage et songe à lui parcourt la planète. Ah oui, car je lui envoie des cartes du monde entier.

– Comment réussis-tu ça ?

– Tu te souviens d'Émilie, ma nièce, celle qui a des jambes interminables ?

– Non.

– Allons, celle qui ne me ressemble pas du tout !

– Ah oui.

– Émilie est hôtesse de l'air. Spécialisée dans les vols longs courriers. Je lui prépare des mots, elle les recopie sur une carte postale qu'elle envoie pendant ses escales. Je crois que ça l'amuse beaucoup.

– Mais toi, ma Zoé, toi dans cette histoire ?

– Je suis heureuse, il est heureux. L'amour existe et il nous épanouit.

– Pourtant, lui et toi, à la Résidence, vous ne dépassez pas le bonjour-bonsoir.

– Dans cette vie-ci, oui. Mais nous avons l'autre.

– L'autre ?

– L'autre vie, l'imaginaire, celle qui irradie, réchauffe et remplit celle-ci. Grâce à moi, il guette son courrier, il espère, il sourit. Grâce à lui, je m'amuse, je voyage, j'ai de l'esprit. Peut-être même que je suis belle…

J'en revenais pas. Grâce à Beethoven – au masque de Beethoven –, Zoé, qui n'avait jamais pu attraper un homme, était devenue, pour un spécimen de qualité, la Lointaine, l'Insaisissable.

La semaine suivante, j'ai l'impression que je

l'ai passée sur une planche à me demander si je plongeais ou si je reculais. Rachel et Zoé avaient déjà réussi leur saut de l'ange. Allais-je maintenant me laisser devancer par Candie ? La reine de la décoloration, l'impératrice de la lampe à bronzer, la seule femme capable d'apprécier une soirée totalement rasoir avec des abrutis simplement parce qu'elle est contente d'essayer un nouveau décolleté, Candie allait-elle entendre le masque avant moi ?

Je me jetai à l'eau : j'irais voir ma belle-fille. Parce que je savais que, s'il y avait une solution, elle se trouvait là.

Malheureusement, comme j'avais balancé aux ordures les lettres qu'Éléonore m'envoyait, j'ignorais où la joindre.

Je suis passée au bureau de mon frère, avec Ralf au bout du bras, pour me renseigner. Là, j'ai branché un morceau de Beethoven[4], his-

---

4. *Les Ruines d'Athènes op. 113, Marche turque.*

toire de garantir l'ambiance et d'agacer ses secrétaires, puis je lui ai demandé les nouvelles coordonnées de… la conne, la poison, l'intrigante, la salope.

– De qui parles-tu ?

– D'elle. Ce sont les noms sous lesquels je pense à elle. Les autres l'appellent Éléonore.

– Ah, ta bru ?

– Mon ex-bru !

Naturellement Albert avait gardé son adresse.

– Tu vois, Christine, j'ai davantage le sens de la famille que toi.

– J'aurais le sens de la famille si ma famille avait un sens.

– Une femme remarquable, cette Éléonore, ajouta-t-il comme s'il était expert en femmes remarquables.

– Normal qu'elle te plaise : elle est aussi aimable qu'un coffre-fort au Liechtenstein.

– Qu'est-ce que tu lui reproches ?

– D'exister.

En se raclant la gorge, Albert a désigné Ralf qui s'amusait bien avec son morceau allègre.

– Beethoven encore ?

– *Les Ruines d'Athènes.* J'ai pensé à toi.

Il s'est mis à gamberger.

– L'autre jour, Christine, j'ai entendu la *Sonate au clair de lune* dans l'ascenseur d'un hôtel et je me suis demandé : qu'aurait composé Beethoven s'il avait vu la terre depuis la lune ? *La Sonate au clair de terre* ? Imagine, ma Christine, si Beethoven était allé sur la lune, cela aurait changé l'histoire de la musique.

– Et de l'astronautique.

Il sourit en prenant un air spirituel.

– Tiens, j'en connais une bonne, je ne sais pas si je te l'ai déjà racontée... Savais-tu que Ludwig van Beethoven était tellement sourd qu'il a cru toute sa vie qu'il faisait de la peinture ?

– Et toi, tu es tellement con que tu as cru toute ta vie que tu étais intelligent.

Arrivée à l'immeuble de ma belle-fille, j'ai laissé Ralf dans un coin sombre du palier et j'ai sonné à la porte de son appartement.

– Bonjour Éléonore. Je... je passais dans le quartier par hasard. J'ai eu l'idée de... Vous allez bien ?

– C'est une bonne question, je vous remercie de me l'avoir posée.

Voilà. Typique de ma belle-fille, ça. Des phrases énigmatiques. Qu'est-ce que je réponds à ça, moi, maintenant ? Faut pas s'étonner qu'on ait du mal à communiquer.

– Et vous, belle-maman, vous allez bien ?

– Au top du top ! J'apprends le hip-hop avec Boubacar, mon nouvel ami, je parviens à enchaîner quatre roues à la suite, je maîtrise correctement l'équilibre sur les mains, de mieux en mieux le saut périlleux arrière. En revanche, j'ai encore du mal à pivoter sur le crâne, même avec un casque.

Elle m'invite à m'asseoir en murmurant :

– Tant mieux, tant mieux.

Deux solutions : soit elle ne m'écoute pas, soit elle se rend compte que je dis n'importe quoi.

Le silence s'installe de nouveau entre nous deux, tel un mur de brique qui, chaque seconde, devient plus haut. Je m'ennuie. Déjà que je n'avais pas envie de venir, voilà que j'ai envie de partir.

– Toujours seule, Éléonore ?

– Oui.

– Pourtant, vous êtes jeune, vous pourriez refaire votre vie.

– Ma vie, elle n'est pas faite. Elle continue. Georges est perpétuellement présent en moi.

Elle a osé ! Elle le sait, cette salope, que je ne supporte pas d'entendre le nom de mon fils.

Je me redresse immédiatement.

– Je vais vous laisser, Éléonore.

– Pourquoi ? Vous ne songez plus à Georges ? Vous ne lui envoyez pas des messages ?

Je n'ai pas la force de lui répondre. Dès qu'on me dit « Georges », je me bloque. J'ai mal au point de ne plus tolérer la souffrance. Je m'oblige à ne pas y penser, à Georges, je l'ai effacé de mon esprit, je l'ai supprimé de ma mémoire ! Y a des trous, dans mon cerveau, des trous béants, creusés à l'obus, par moi ! Ça fume encore, reste un peu de terre, mais y a surtout des trous ! Et jusqu'au bout, je maintiendrai le bombardement.

Éléonore me coupe le chemin en prenant une tronche qui inspirerait de la pitié à n'importe qui.

– Je souhaiterais tellement parler de Georges avec vous. Si vous saviez comme je guette ce moment où nous serons amies, réconciliées, et que nous l'évoquerons ensemble. Il y aura alors de la paix en nous. Et de la paix pour lui, là-haut !

– Amie avec vous, Éléonore ? Ne rêvez pas ma petite : jamais ! J'estime que c'est de votre faute s'il s'est suicidé. Parce qu'il n'était pas heureux avec vous. Parce que vous ne l'aimiez pas ! Pas assez ! Mal ! Oui d'accord, il s'est tué de ses mains, pourtant c'est vous la coupable, l'assassin, la meurtrière.

Elle s'exclame, presque soulagée :

– Enfin ! Vous le dites enfin.

– Quoi ? Que je vous déteste ? Vous avez eu l'occasion de vous en rendre compte pendant les vingt ans que vous avez passés avec lui, non ?

– Ça ne m'a guère échappé, merci. Je parlais de vos soupçons, de vos accusations. Depuis sa mort, je m'en doutais mais j'espérais que ça sorte.

– Ben voilà, c'est sorti. Maintenant laissez-moi partir, j'ai un cours de hip-hop avec Boubacar, et Ralf m'attend.

– Ralf ?

– Mon appareil à musique. Il me joue du Beethoven.

Elle écarquille subitement les yeux, secoue la tête et sourit :

– Ah c'est donc pour ça…

Là, la migraine m'arrive dessus, j'ai l'impression que le sol devient mou, si je ne pars pas immédiatement, je suis foutue. Catastrophe, je m'entends poser la question à éviter :

– Quoi « c'est donc ça » ? Qu'est-ce que vous comprenez, vous, Éléonore, que je ne comprends pas ?

– Beethoven ! Georges raffolait de Beethoven. Et il me disait que c'était vous qui lui aviez communiqué cette passion.

Je m'assois. Georges… Beethoven… Je cherche mon air. Curieux que nos émotions chassent aussitôt l'oxygène des pièces. Des trappes s'ouvrent sous mon crâne, ça provoque des tumultes, les idées volent en éclats.

Éléonore sort d'un tiroir une lettre que Georges avait écrite à mon intention, une lettre que je n'ai jamais voulu ouvrir. Là, soudain, j'ai envie de la lire.

– Comme vous le savez, il y a une condition.

– Pas d'histoires, Éléonore, donnez-le-moi, ce mot.

– Non. Georges a imposé une condition.

– Vous rendez-vous compte, Éléonore, que ici, maintenant, je n'aurais aucune difficulté à vous tuer ? Que préférez-vous ? Que je vous assomme ? Que je vous étrangle ? Que je vous saigne au couteau ?

– Respectez la volonté de Georges. Faites-lui confiance. Il avait réfléchi. Il a sans doute beaucoup songé à vous en vous soumettant à cette condition.

– Vous êtes de son côté ?

– Toujours. Pas vous ?

La perfide !

En revenant à la Résidence des Lilas, je suis montée voir Candie.

– Dis ma chérie, quoique je te trouve très en beauté, tu n'aurais pas pris un ou deux kilos ?

Pauvre Candie ! Son faciès pain d'épice se fissura, tragique.

– Ça ne t'a pas échappé !

– Tu ne vas plus à ton cours de gymnastique ?

– Si.

– Ah... Alors tu ne pédales plus sur ton vélo d'appartement ?

– Si tu veux savoir la vérité, dès que je suis seule, je mouline comme un hamster en regardant la télévision.

– Ah... ça doit être l'âge, alors...

Candie a baissé la tête, comme si le bourreau venait de la lui trancher à la hache. J'ai ajouté négligemment :

– J'ai une amie qui a perdu cinq kilos en une semaine.

L'espoir redressa la nuque de Candie.

– Qu'est-ce qu'elle a pris ? Un médicament ? Elle a essayé un régime ? Oh, je t'en supplie, dis-moi ! Dis-moi vite !

– Elle a fait le pèlerinage à Compostelle.

– Le pèlerinage de Compostelle ?

– Oui. Enfin une partie. Une semaine, cinq kilos ! Pfuit, envolés, comme ça...

Si elle n'avait pas le front entièrement paralysé par le Botox pour éviter les rides, là, Candie aurait froncé les sourcils, ce qu'elle fit, mais très intérieurement.

– Kiki, ça ne te tenterait pas de l'accomplir avec moi, le pèlerinage de Compostelle ?

– Oh, tu sais moi, les bondieuseries...

– Cinq kilos, Kiki, cinq kilos. Ça ne te fera pas de mal non plus.

Deux semaines après, nous marchions sur les sentiers.

Vingt kilomètres par jour. Dur. Les pieds en sang tous les soirs.

Je n'avais pas dit à Candie que cette expédition, c'était la condition qu'avait posée mon fils : Éléonore ne me remettrait sa lettre que si j'accomplissais ce voyage, que nous avions fait ensemble, Georges et moi, autrefois, lorsqu'il avait dix ans.

Nous marchions.

Rachel avait refusé de se joindre à nous d'un haussement d'épaules : « Ma religion me l'interdit, allez-y sans moi les filles. » Zoé, elle, nous avait livré une explication sophistiquée : elle avait calculé que, n'ayant pas cinq mais cinquante kilos à perdre, elle devrait partir de beaucoup plus haut, d'Allemagne au minimum, et que, tant que nous ne lui proposions pas Munich-Compostelle, ou Stockholm-Compostelle, elle renoncerait.

À mesure que nous marchions sur les routes, Candie et moi, j'empruntais en douce le sentier de mes souvenirs. Pourquoi l'avais-je embarqué dans ce pèlerinage, mon petit

Georges, il y a si longtemps ? Pour l'aguerrir sans doute. Et parce que le chemin passait près de la maison de vacances. Je me remettais à penser à lui, je songeais à la drôle d'enfance que je lui avais offerte, une enfance allègre parce que j'étais d'humeur gaie, mais une enfance sans père. Son abruti de géniteur m'avait quittée un an après sa naissance pour une autre femme, plus jeune, plus fraîche, plus silencieuse sans doute. Moi, ça ne m'avait pas gênée : je n'ai jamais aimé un homme au point de vouloir vivre avec lui. Les hommes, ça n'est agréable que le temps que c'est agréable c'est-à-dire pas longtemps, je sature vite. En revanche, Georges aurait apprécié ça, lui, avoir un père, un père régulier, un père continu, ça l'aurait aidé. Parce que mûrir, c'est une aventure qui a l'air plus compliquée pour les garçons que pour les filles. C'est terrible pour un garçon de pousser auprès d'une mère qu'il idolâtre, dont les messages se résument à « ne deviens surtout pas comme moi, ne mets pas de jupes, pas d'escarpins, lâche ce sac à main, évite le maquillage ». Pas évident sans modèle masculin ! Au-dessus d'une rivière, j'ai revu soudain sa silhouette frêle, sa bouille mélancolique qui s'éclairait sitôt qu'il me voyait. Enfant, il avait tendance à la tristesse ; or je mesurais mal l'ampleur de ce sentiment qui m'est étranger. J'avais tant de force, tant de vie en moi, tant d'amour à lui donner. Et j'arrivais toujours à provoquer son sourire.

Candie m'a demandé si ma belle-fille avait refait sa vie.

– Pourquoi cette question, Candie ?

– Ça y est, je sens que l'engueulade arrive : dès qu'il s'agit de Georges ou d'Éléonore, tu te transformes en fil de fer électrifié.

– Non, ma belle-fille n'a pas refait sa vie. Une femme dont le mari s'est suicidé, c'est comme une maison où un homme s'est pendu : ça ne trouve plus preneur.

– C'est ridicule ce que tu dis. Avec de tels raisonnements, on peut dire pareil de toi.

– Pardon ?

– Une mère dont le fils se suicide, c'est sûrement une mauvaise mère.

– Mon fils ne s'est pas suicidé lorsqu'il vivait avec moi ! C'est après. Quand il s'emmerdait avec elle. C'est de sa faute à elle ! Je ne permets à personne de...

J'ai vu de la terreur dans les yeux de Candie, ce qui m'a aidée à réaliser que j'étais en train de hurler. Je me suis arrêtée. Candie m'a souri. Nous nous sommes embrassées. Nous avons marché un kilomètre en silence. Puis elle m'a demandé :

– Il n'était pas suicidaire, ton fils ?

– Non !

Et c'est là qu'elle s'est enfuie... Elle a détalé comme un lapin, comme si on la pourchassait avec un fusil ou un couteau. Elle avait l'air terrorisé. Une folle.

Je ne l'ai pas rappelée parce que, au fond, je n'en avais rien à foutre, des états d'âme de Candie, et j'ai continué mon chemin seule.

Les jours suivants, ma cervelle a pas mal bouillonné. Trop. Les ampoules, j'avais l'impression d'en avoir dans la tête, pas seulement aux pieds. Des souvenirs de Georges surgissaient, des joyeux qui me gonflaient la poitrine, d'autres si terribles que j'aurais voulu avoir un marteau pour leur taper dessus.

Lorsque je suis arrivée à Compostelle, j'étais comme une locomotive à vapeur, brûlante, sous pression.

Les cloches sonnaient à toute volée à l'intérieur de la cathédrale. Pour certains marcheurs, elles célébraient leur victoire ; pour moi…

Éléonore m'attendait à la terrasse d'un café, non loin des marches du lieu sacré.

Elle m'a tendu la lettre de Georges. Je me suis assise en face d'elle, j'ai déchiré l'enveloppe.

« Maman. »

Personne ne m'avait dit « Maman » depuis des années. J'ai jeté le papier loin de moi, comme s'il m'avait brûlée. Je m'étais protégée, je savais qu'il était mort, que je n'entendrais plus jamais « Maman ». C'était insupportable.

Éléonore a ramassé la page et me l'a redonnée.

– C'est lui qui vous parle.

« Maman, je ne sais pas combien de temps tu mettras à lire ce mot, je sais juste que je ne serai pas là et que tu m'en voudras beaucoup. Je n'étais pas bien équipé pour vivre. Tu n'y es pour rien : au contraire, si j'ai essayé si longtemps, c'est grâce à toi d'abord, puis à Éléonore. Vous m'avez insufflé la force que je n'avais pas. Cependant, dès que je m'isole, je retombe : je ne désire rien, je n'entreprends rien, je n'espère rien. Ce soir, je suis soulagé de partir. Auparavant, je remercie les deux femmes qui m'ont maintenu, à bout de bras, au-dessus de moi-même. Chacune de vous est parvenue à me faire vivre vingt ans, vingt ans pour toi maman, vingt ans pour toi Éléonore. Maintenant excusez-moi. »

Il ne voulait pas vivre, Georges, depuis le départ. Il était né après terme, comme s'il ne désirait pas voir le jour, comme si c'était moi qui tenais à ce qu'il sorte ; ensuite il avait multiplié les maladies, certaines bénignes, d'autres graves, façon de dire avec son petit corps qui ne parlait pas encore « Ne t'attache pas, laisse-moi partir. » Après, parce qu'il s'accrochait mieux à la vie, parce que je l'amusais, parce que nous apprenions mille choses ensemble, j'ai eu moins peur. Pourtant, je percevais sa crainte de grandir. À l'adolescence, plusieurs fois, il avait tenté de se suicider, oh si mal, si maladroitement, que j'avais pris cela pour des appels au secours, que je l'avais broyé dans mes bras en croyant que ça s'arrangerait. Oui, j'étais persuadée que j'y arriverais, que je transformerais en adulte ce garçon qui avait déjà eu tant de difficultés à être un gamin. Elle a pris le relais, Éléonore. C'est pour ça sans doute que je l'ai détestée d'emblée. Elle occupait ma place de mère. J'avais conscience de ne pas lui confier un homme, un vrai, mais un enfant. Pourquoi prétendait-elle le traiter comme un mâle ? Je l'ai harcelée en concentrant mes reproches sur elle. Si mon fils n'était pas un homme, c'est parce qu'elle n'était pas une femme. Si mon fils déprimait, c'était à cause d'elle. S'il se droguait, c'était à cause d'elle. Si…

En évitant le regard d'Éléonore, j'ai lu la phrase qui achevait la lettre.

« Maman, je sais que je t'ai déçue, que je te tourmente encore, mais, quoi qu'il arrive, je t'en supplie : n'oublie pas que je t'aime. »

Je ne sais comment ça s'est passé, je me suis levée, je me suis précipitée sur Éléonore et je l'ai serrée dans mes bras.

– Merci.

Et Éléonore, cette femme si dure, s'est mise à sangloter contre moi.

Franchement, on avait l'air de deux cloches, là, devant la cathédrale où affluaient les pèlerins. Les cloches de Compostelle.

À mon retour à Paris, je suis allée m'excuser auprès de Candie. Au début, elle m'a fait la gueule – enfin, dans la mesure où son visage exprime encore un sentiment parce que sa peau est tellement tirée qu'elle sourit continuellement, même quand elle se brûle – puis elle m'a pardonné mon éclat, d'autant qu'elle avait perdu les kilos qui la turlupinaient.

Ensuite, j'ai invité Boubacar chez moi pour prendre le thé et je lui ai montré le masque de Beethoven.

– Oh, géant ton masque ! Il ressemble à la musique de ton mec.

– Tu entends sa musique quand tu le dévisages ?

– Ouais. Cinq sur cinq. Pas toi ?

– Si. Maintenant, j'entends. J'entends toutes les merveilles que je ne savais plus entendre.

Nous avons fixé le masque, son immense front torturé par les idées qui bouillonnaient dessous, ses cheveux drus, puissants, jaillissant comme des sons, ses paupières fermées sur ses violences intérieures, sa bouche prête à parler.

– Dis, Kiki, pourquoi il souffrait, ton mec ? D'après ce que tu m'as rapporté, c'était un génie, un caïd, il gagnait du pognon, il avait la gloire, la belle montre, la gourmette.

– Il souffrait pour créer. Il voulait rendre chaque note expressive. Te rends-tu compte, Boubacar, chaque note expressive ? Rien d'insignifiant. Au fond, il cherchait quelque chose qui n'existait pas.

– Quoi ?

– L'humanité, peut-être…

Boubacar a enlevé sa casquette pour se gratter le crâne. Je ne saisis pas pourquoi il porte une casquette alors qu'il n'a pas de cheveux.

– Kiki, ton Beethoven, tu dis qu'il aime l'humanité… L'autre jour pourtant, tu m'as raconté qu'il engueulait tout le monde.

– Oui, il avait un caractère de cochon, il râlait, il poussait des coups de gueule. Justement ! Quand tu crois en l'humanité, tu n'aimes pas l'homme tel qu'il est mais tel qu'il devrait être. La misanthropie est la marque des plus grands humanistes. Faut avoir le sens de l'idéal pour se mettre en colère.

– Tu parles de lui ou de toi, Kiki ?

– Les hommes ensemble, ils ne croient pas en l'humanité, ils se fient à eux, à leur groupe, à leurs intérêts, ils se donnent la main pour se protéger, tracer une frontière, construire un mur. Faut renoncer à la foule et accepter d'être solitaire quand on rêve d'humanité. Ça, mon Beethoven, il l'avait compris. À l'époque, il y avait l'Allemand, l'Anglais, le Français, l'Italien, le Russe, etc. Et ces gens entraient perpétuellement en guerre.

– C'est toujours pareil, Kiki. Ça n'a pas changé.

– Ouais, ça n'a pas changé. On n'a rien capté, on n'a pas assez écouté Beethoven, on est devenus sourds.

– Qu'est-ce qu'on peut faire ?

– Bonne question, je te remercie de me l'avoir posée, comme dirait ma belle-fille.

C'est comme ça qu'on a créé notre fête. Chaque dimanche, nous nous réunissons au square, mes copines et moi, où nous vendons nos gâteaux cuisinés à la maison, nos limonades artisanales, puis nous louons des coussins pour que les gens suivent la parade. Une fois les spectateurs installés, les copains de Boubacar, menés par Boubacar en personne, arrivent en masse sur la scène de goudron : il y a des Noirs foncés, des Noirs clairs, des métis, des basanés, des pâles, des roux, des blonds, des nordiques, des fins, des trapus. À les voir ensemble, on se rend compte que, finalement, la nature ne manque pas de fantaisie ni d'humour. Puis Ralf commence à aboyer du Beethoven et ils se mettent à danser[5]. Ils tournent comme des fous, sur les mains, sur les coudes, sur les genoux, sur le crâne, les uns au bout des bras des autres, ils tournent au point de nous faire oublier qu'on a des os, des reins, des articulations, ils sont plus souples que des balles de caoutchouc. Avec l'argent que ça nous rapporte, davantage chaque semaine, nous

5. *Neuvième Symphonie en ré mineur op. 125, Final.*

aidons ensuite des gens dans la gêne. Et ça, ça ne manque pas, merci.

L'autre jour, mon crétin de frère est venu voir le spectacle, alors que les garçons dansaient sur l'*Hymne à la joie*.

– C'est gentil, c'est joli ce que tu as organisé, Christine, mais ça ne va pas changer le monde.

Ce que j'apprécie chez mon frère, c'est qu'il ne me déçoit jamais. Con depuis le premier jour, il assure année après année, infaillible, sans baisse de régime, à la hauteur de son ineptie. Du solide. Sans doute qu'il va tenir jusqu'à sa fin, comme ça.

– Oui, ma petite, je me permets de te rappeler que, comme disait je-ne-sais-qui, ce n'est pas en irriguant un champ que tu vas supprimer le désert.

– En attendant, j'ai irrigué un champ, non ? Et puis il y a des gens qui travaillent sur ce champ, puis qui mangent avec le revenu de ce champ, non ?

– Hum. C'est mieux que rien, voilà ce que tu veux dire ?

– Toi, tu proposes quoi, en te tournant les pouces avec ton Picasso dans ton coffre ? Moins que rien ? Trois fois rien ? Moi, je suis contente avec mon mieux que rien.

– Tu n'es pas modeste. Au fait, Christine, c'est quoi, ce dossier que tu as confié à mon cabinet. Tu veux changer de nom ? Celui de nos parents n'était pas assez noble pour toi ?

– Non, je pense à ma pierre tombale. Je veux qu'elle parle, je veux qu'elle chante, je veux qu'elle fasse un bruit assourdissant, je veux qu'elle rende tout le monde heureux dans le cimetière. Exige de tes avocats qu'ils travaillent sur mon dossier, s'il te plaît. Grâce à toi, j'y arriverai peut-être.

– Une pierre tombale qui chante ? Que racontes-tu ma pauvre fille ?

Kiki van Beethoven

– Imagine : un granit sombre, simple, pur, et dessus en lettres minuscules : Kiki van Beethoven.

L'Ode à la joie emplit le théâtre.

DU MÊME AUTEUR

Aux Éditions Albin Michel

Romans

LA SECTE DES ÉGOÏSTES, 1994.
L'ÉVANGILE SELON PILATE, 2000, 2005.
LA PART DE L'AUTRE, 2001.
LORSQUE J'ÉTAIS UNE ŒUVRE D'ART, 2002.
ULYSSE FROM BAGDAD, 2008.

Nouvelles

ODETTE TOULEMONDE ET AUTRES HISTOIRES, 2006.
LA RÊVEUSE D'OSTENDE, 2007.
CONCERTO À LA MÉMOIRE D'UN ANGE, Goncourt de la Nouvelle, 2010.

Le cycle de l'invisible

MILAREPA, 1997.
MONSIEUR IBRAHIM ET LES FLEURS DU CORAN, 2001.

OSCAR ET LA DAME ROSE, 2002.
L'ENFANT DE NOÉ, 2004.
LE SUMO QUI NE POUVAIT PAS GROSSIR, 2009.

« Le bruit qui pense »

MA VIE AVEC MOZART, 2005.
QUAND JE PENSE QUE BEETHOVEN EST MORT ALORS QUE TANT DE CRÉTINS VIVENT, 2010.

Essai

DIDEROT OU LA PHILOSOPHIE DE LA SÉDUCTION, 1997.

Théâtre

LA NUIT DE VALOGNES, 1991.
LE VISITEUR (Molière du meilleur auteur), 1993.
GOLDEN JOE, 1995.
VARIATIONS ÉNIGMATIQUES, 1996.
LE LIBERTIN, 1997.
FREDERICK OU LE BOULEVARD DU CRIME, 1998.
HÔTEL DES DEUX MONDES, 1999.
PETITS CRIMES CONJUGAUX, 2003.

MES ÉVANGILES (*La Nuit des Oliviers, L'Évangile selon Pilate*), 2004.

LA TECTONIQUE DES SENTIMENTS, 2008.

Le Grand Prix du Théâtre de l'Académie française 2001
a été décerné à Éric-Emmanuel Schmitt
pour l'ensemble de son œuvre

Site Internet : eric-emmanuel-schmitt.com

Composition IGS-CP
Impression CPI Bussière en juillet 2010
à Saint-Amand-Montrond (Cher)
Reliure Pollina
Éditions Albin Michel
22, rue Huyghens, 75014 Paris
www.albin-michel.fr

ISBN : 978-2-226-21520-8
N° d'édition : 19426/01. – N° d'impression : 102140/4
Dépôt légal : septembre 2010.
Imprimé en France.